ARROGANT COMME UN FRANÇAIS EN AFRIQUE

Du même auteur

Ces messieurs Afrique, t. I : *Le Paris-Village du continent noir*, avec Stephen Smith, Calmann-Lévy, 1992.

L'Afrique sans Africains. Le rêve blanc du continent noir, avec Stephen Smith, Stock, 1994.

Ces messieurs Afrique, t. II : *Des réseaux aux lobbies*, avec Stephen Smith, Calmann-Lévy, 1997.

Comment la France a perdu l'Afrique, avec Stephen Smith, Calmann-Lévy, 2005 ; rééd. Fayard, coll. « Pluriel », 2014.

Sarko en Afrique, avec Stephen Smith, Paris, Plon, 2008.

AfricaFrance. Quand les dirigeants africains deviennent les maîtres du jeu, Fayard, 2014.

Antoine Glaser

Arrogant comme un Français en Afrique

Fayard

ISBN : 978-2-213-68641-7

Couverture : © un chat au plafond

Prologue

Le musée imaginaire de la Françafrique

Avril 2017. Il pleut sur Abidjan. Une file d'enfants en uniforme zigzague entre les palmiers du boulevard François-Mitterrand pour échapper à l'averse. L'homme qui les accompagne est fier. Professeur de français dans une petite école du quartier résidentiel de Cocody, situé sur une colline qui surplombe la lagune Ébrié, Baudelaire Konan – qui doit son prénom à un père amoureux du poète – a enfin réussi à organiser pour ses élèves une visite du musée de la Françafrique. Une grande bâtisse en forme de sablier, achevée en 2016, dont l'entrée forme une tour Eiffel miniature.

Dans le hall trône encore la statue d'un gouverneur des colonies, André Latrille. Tandis qu'ils avancent en se tenant par la main, les petits lèvent les yeux avec inquiétude vers ce fétiche des Blancs de l'ex-métropole. En classe, « Monsieur Konan » a toujours eu du mal à parler des relations de l'Afrique avec la France.

Il pense pouvoir trouver ici les illustrations qui lui manquent.

Comment, en effet, expliquer à ces jeunes Africains qui demain représenteront le quart de la population mondiale que leurs arrière-grands-parents étaient, il y a moins d'un siècle, les sujets d'un Empire français ? Comment susciter leur intérêt pour l'histoire du « petit Hexagone d'Europe » qui a prétendu écrire leur histoire à eux, eux dont les grands frères ne parlent que de Canada, d'Inde, de Chine ou de Brésil ? Comment justifier que les plus grands humanistes français, de Victor Hugo à Léon Blum, en passant par Jean Jaurès, aient pu penser à l'unisson que c'était le Blanc qui avait fait du Noir un homme ? qu'ils aient pu prétendre que leur devoir de « race supérieure » leur imposait d'apporter la civilisation à ces « races inférieures » vivant dans les ténèbres ?

Malgré les incitations de « Monsieur Konan », les enfants ne s'attardent guère dans la première salle, où sont statufiés ces « grands hommes » de la Françafrique. Pour eux, ils représentent le vieux monde. L'un des derniers portraits en pied avant la salle suivante est celui de l'ancien président français Nicolas Sarkozy. En 2007, il était venu au Sénégal faire la leçon aux Africains. « Le drame de l'Afrique, c'est que l'homme africain n'est pas assez entré dans l'Histoire », avait-il doctement assené à la tribune de l'université de Dakar, avant de développer son propos devant une assemblée atterrée : « Le paysan africain, qui, depuis des millénaires, vit avec les saisons, dont l'idéal de vie est d'être en harmonie avec la nature, ne connaît que l'éternel recommencement du temps rythmé par la répétition sans fin des mêmes gestes et des mêmes paroles. [...] Jamais l'homme ne s'élance vers l'avenir. Jamais il ne lui vient l'idée de sortir de sa répétition pour s'inventer un destin. [...] Le problème de l'Afrique, c'est qu'elle vit trop le présent dans la nostalgie du paradis perdu de l'enfance[1]. »

Un discours paternaliste qui avait profondément humilié les plus francophiles des Africains et définitivement coupé le président français des jeunes générations du continent. Mais un pur bonheur pour les commissaires du musée, qui ont imaginé un jeu interactif : « Répondez aux maîtres blancs ! » Et ils n'ont eu que l'embarras du choix pour trouver des penseurs susceptibles de nourrir leur plate-forme : Frantz Fanon, Achille Mbembe, Moussa Konate, Albert Memmi...

Professeur, né à Tunis, Memmi avait connu un grand succès en 1957 avec un petit ouvrage : *Portrait du colonisé*, précédé de *Portrait du colonisateur*[2]. Il ironisait sur les livres scolaires décrivant un univers à mille lieues de l'Afrique : « Le petit garçon s'y appelle Toto et la petite fille Marie. Les soirs d'hiver, Marie et Toto, rentrant chez eux par des chemins couverts de neige, s'arrêtent devant le marchand de marrons. » Au collège, poursuivait Memmi, les jeunes Africains n'apprendraient pas grand-chose sur l'histoire de

1. Texte complet sur http://www.lemonde.fr/afrique/article/2007/11/09/le-discours-de-dakar_976786_3212.html.

2. Albert Memmi, *Portrait du colonisé*, précédé de *Portrait du colonisateur*, Gallimard, coll. « Folio actuel », 1985.

leur continent. Ils sauraient « qui furent Colbert ou Cromwell », mais n'entendraient certainement pas parler d'« hommes politiques tunisiens comme Mustapha Khaznadar », ministre des Finances sous Ahmed Ier Bey, au XIXe siècle. Memmi aurait aussi bien pu évoquer, pour la Côte d'Ivoire, Abla Pokou, la reine des Baoulé, Amon N'Douffou, le grand monarque du Sanwi, ou encore les royaumes et les grandes chefferies installés à Korhogo.

Pour le jeune Africain, concluait Memmi, « tout semble s'être passé ailleurs que chez lui ; son pays et lui-même sont en l'air, ou n'existent que par référence aux Gaulois, aux Francs, à la Marne ». Justement, les petits visiteurs sont en train de pouffer devant un buste de Vercingétorix coiffé de son casque ailé, celui-là même qu'on a longtemps présenté à leurs grands-parents comme leur ancêtre. Pourtant, même les plus vieux sorciers du village n'ont pas des bacchantes pareilles !

La salle suivante est remplie d'immenses panneaux où s'animent des cartes en 3D. D'abord, une Afrique totalement vierge, barrée de gros caractères : *Africa Incognita*, l'Afrique inconnue. Sous les yeux des enfants, elle commence à s'emplir de tracés mouvants – les frontières –, avant de se structurer en 1800. C'est la date à laquelle le géographe de l'Académie des sciences Guillaume Delisle a dessiné une première carte, très approximative, du continent : l'actuelle zone saharo-sahélienne était baptisée « Barbarie », l'Afrique centrale « Négritie » et l'Afrique australe « Cafrerie » !

Une autre carte illustre les retombées de la conférence de Berlin, qui, en 1885, a lancé les colonisateurs occidentaux à la conquête du continent. Le premier qui plante son drapeau gagne… le territoire ! Qui donc alors se préoccupe des habitants sur place ? Ils ne sont d'ailleurs pas encore considérés comme des hommes. Les « valeureux capitaines » des empires français et britannique découpent ainsi l'Afrique, en particulier l'Afrique de l'Ouest, en tranches napolitaines dans le sens nord-sud, écartelant les ethnies, les clans et les familles entre différentes nationalités.

Un peu plus loin, en dessous d'un portrait en pied d'un Napoléon Bonaparte au regard sombre, de larges vitrines rétroéclairées présentent des copies des codes juridiques promulgués par l'Empereur à Paris en 1804. Ces textes régissent, encore aujourd'hui, toute la vie politique, sociale et économique des anciennes colonies françaises, en totale contradiction avec des systèmes patrimoniaux africains d'une diversité inimaginable, mais aussi avec de puissants réseaux de commerce qui s'activent depuis des siècles sur le continent sans avoir attendu la paperasserie tricolore. Dans tous les secteurs, la lourde administration française a débarqué avec ses règles et procédures. Les urbanistes ont ainsi transformé des villages africains en petites villes « bien de chez nous », comme en témoigne ce plan d'époque de Bangui, future capitale de la Centrafrique rebaptisée « Bangui-la-Coquette », avec ses bornes kilométriques en forme de champignons blanc et rouge, comme sur la nationale 7, qui relie Paris au sud de la France.

Tandis qu'il s'attarde dans la salle de « l'histoire de France exportée en Afrique », Baudelaire Konan se rend soudain compte qu'il est seul. Tous ses élèves l'ont dépassé en trombe pour aller se presser dans la salle suivante, celle des curiosités de la Françafrique. Ils passent rapidement devant la photo de la ferme normande de l'ancien président sénégalais Léopold Sédar Senghor, chantre de la négritude, mais se bousculent contre les vitrines où sont exposées les parures du sacre de l'empereur Bokassa, en 1977, et les plaquettes de diamants qu'il distribuait à ses « parents » français. La maquette du bateau du mercenaire Bob Denard, qui a servi dans les années 1970 pour ses coups d'État aux Comores, suscite des commentaires admiratifs. Même la tasse en porcelaine Louis XVI dans laquelle l'ancien président ivoirien Félix Houphouët-Boigny ne buvait que du chocolat, pour promouvoir le cacao produit par son pays, et la bouteille de bière Corona bue par l'ancien président français Jacques Chirac à l'ambassade de France à Yaoundé en 2005 ont leurs fans. Mais, plus que tout cela, c'est le fauteuil en cuir de Jacques Foccart, « l'Africain » du général de Gaulle, qui intimide la majeure partie de la classe. Sans doute parce que, sur le portrait en noir et blanc accroché juste au-dessus, il les regarde de ses gros yeux sévères. Mais aussi parce que Baudelaire leur a expliqué que les anciens dirigeants africains venaient raconter leurs petits soucis domestiques au « papa de la Françafrique », comme s'ils allaient à confesse. « Ce qui est bon pour la France est bon pour l'Afrique !» leur assurait le patriote Foccart.

Un demi-siècle plus tard, la maxime devrait plutôt être : «Ce qui est bon pour l'Afrique pourrait être bon pour la France !» L'Afrique francophone a retiré son costume de clown blanc. Pour le meilleur ou pour le pire, tout le continent a tourné la page postcoloniale. Le meilleur, c'est l'explosion multiculturelle, la richesse ethnique insoupçonnée qui inonde et, parfois, émerveille les sociétés européennes vieillissantes et déprimées. Le pire, c'est le retour de sultanats et de califats appliquant la charia, comme ce fut le cas pendant près de dix siècles, au cœur même du continent, dans les régions abandonnées par les pouvoirs centraux.

La mémoire vivante de toute cette période est Yamou, un crocodile de plus de cent quinze ans récemment rentré de Paris, où il a passé des décennies dans l'aquarium tropical de la porte Dorée. Immobile, les yeux mi-clos, il effraie et fascine les enfants. Yamou a tout connu. À Paris, sa maison s'est d'abord appelée musée des Colonies, avant d'être rebaptisée musée de la France d'outre-mer en 1935. En 1960, à la décolonisation, André Malraux, alors ministre chargé des Affaires culturelles, en a fait le musée des Arts africains et océaniens. En 2003, lorsque la majorité des collections est partie au musée du quai Branly pour fêter les «arts primitifs», Yamou est resté le seul gardien de l'établissement… jusqu'en 2007, où il a pu fêter la transformation du lieu en Cité nationale de l'histoire de l'immigration.

C'est bientôt la fin de la visite. Baudelaire Konan raconte à ses élèves incrédules comment leurs « ancêtres gaulois », qui, n'ayant rien appris des Africains, voulaient les modeler à leur image, sont rentrés chez eux en abandonnant leurs fétiches tricolores devenus inutiles. Pas tous, se reprend-il. Quelques poètes, sculpteurs et peintres ont su traverser le miroir de l'humanité africaine et jouer avec les masques pour dialoguer avec l'invisible. Ainsi, c'est dans l'atelier d'André Derain qu'Henri Matisse et Pablo Picasso auraient découvert, « émus, impressionnés et même perturbés », un masque dan et des statuettes sénoufo. Plus tard, l'une des demoiselles d'Avignon du tableau aura les traits de ce masque. En 1912, Georges Braque et Picasso « partagent fraternellement la paternité du cubisme et la passion de l'art nègre[1] ». Deux ans plus tard, Amedeo Modigliani s'inspire directement dans ses œuvres des masques baoulé et gouro. En 1923, le décor de Fernand Léger pour le ballet *La Création du monde* inclut des figures baoulé et sénoufo. La célèbre *Femme cuillère* d'Alberto Giacometti n'est qu'une magnifique extrapolation des cuillères dan. Et c'est avec sa célébrissime photo *Noire et blanche* (1926) que Man Ray a popularisé dans le monde entier les courbes idéalement féminisées de certains masques baoulé.

Pour couronner son exposé, Baudelaire apprend à ses élèves que, le 11 mai 2015, chez Christie's, à New

1. Gérald Arnaud, « La sculpture comme culture », *Africultures*, juillet-septembre 2003.

York, le tableau de Picasso intitulé *Les Femmes d'Alger* est devenu le plus cher du monde en se vendant pour plus de 179 millions de dollars tandis qu'une sculpture de Giacometti, qui s'est lui aussi inspiré des statues des ancêtres, atteignait la somme de 141 millions de dollars. Un formidable hommage posthume à cette Afrique tant moquée, raillée et abaissée.

Introduction

« On ne reconnaît plus notre Côte d'Ivoire ! » me lance un entrepreneur français un soir de fête d'avril 2015 au bord de la lagune Ébrié, à Abidjan, la capitale économique ivoirienne. Juste après avoir poussé ce cri du cœur, il tente de justifier l'emploi du possessif « notre » : « Vous allez me prendre pour un vieux colonialiste, monsieur Glaser, mais franchement c'était moins compliqué quand il y avait des conseillers français à la douane et aux impôts. »

Avant d'atterrir au club ASNA (Association sportive nautique d'Abidjan), l'un des derniers bastions du village « gaulois » d'Abidjan, j'ai roulé pendant près d'une heure le long du boulevard de Marseille. Mon chauffeur de taxi a interrogé tous les portiers des restaurants de ce quartier animé. « ASNA, vous connaissez ? » La plupart ont cru que nous cherchions un restaurant marocain. Lorsque j'ai précisé qu'il s'agissait d'un club-restaurant français, la mémoire est revenue à l'un d'entre eux : « Ah ! le club des Blancs !

Il est caché au fond de cette petite impasse qui mène à la lagune. »

Créée à l'indépendance du pays, en 1960, l'ASNA procure encore quelques bons moments aux passionnés de sports nautiques et de parties de boules-pastis, entre soi. Ce soir-là s'y tient une réunion de l'Union des Français de l'étranger (UFE). Sur la terrasse, la douce brise qui agite les feuillages et les lumières féeriques et surréalistes de la raffinerie que l'on aperçoit de l'autre côté de la lagune consolent un peu les invités d'avoir perdu « leur » Côte d'Ivoire. Une dernière bouffée de nostalgie pour l'époque où la France gérait encore ses anciennes colonies en solo, sans concurrence.

Plus d'un demi-siècle après la décolonisation, la plupart des Français d'Afrique, et pas seulement les « vieux Blancs », vivent très mal l'arrivée d'autres étrangers sur le continent. Se croyant indispensables, voire aimés, ils n'ont toujours pas pris la mesure de la nouvelle Afrique mondialisée. Certains restent même persuadés que les Chinois – « racistes », assurent-ils – ont besoin de leur aide pour communiquer avec les Africains, qu'eux connaissent si bien (du moins ceux des anciennes colonies françaises). Ne sont-ils pas les seuls à détenir le décodeur de la civilisation universelle ? N'ont-ils pas, dès le Xe siècle, sauvé les populations noires des forêts, menacées par les sabres des « barbares islamistes » qui descendaient du désert ?

Dans cette Côte d'Ivoire dont le premier président, Félix Houphouët-Boigny, a été ministre d'État de la IVe République française, quelques marqueurs tricolores de cette présence subsistent sous forme de leurres. Les noms des rues d'Abidjan célèbrent encore les gouverneurs de la Coloniale et les présidents français : ainsi, les boulevards Charles-de-Gaulle, Valéry-Giscard-d'Estaing et François-Mitterrand sont plus majestueux que le boulevard de France... Dans ses Mémoires [1], l'ancien ambassadeur de France Gildas Le Lidec raconte comment l'ex-président ivoirien Laurent Gbagbo, « dès qu'il subissait des vexations de Paris », s'employait à débaptiser « une certaine longueur d'un boulevard d'Abidjan portant le nom d'une personnalité française ». Lors de ses longs entretiens nocturnes en tête à tête avec lui, « dans la fumée des gauloises », le diplomate avait obtenu qu'il ne touche pas à l'avenue de France ni aux lieux portant le nom du général de Gaulle, mais il l'a laissé raccourcir allégrement le boulevard Giscard-d'Estaing !

Au-delà des anecdotes et des symboles, les nouvelles générations ont du mal à imaginer ce qu'était l'existence des expatriés français dans la Côte d'Ivoire des années 1980. La grande majorité d'entre eux habitaient de belles villas, disposaient de régiments d'employés de maison et de jardiniers qui soignaient leurs éclatants bougainvilliers et s'occupaient des enfants après la fin des cours au Lycée français. Quand ils n'enseignaient pas – principalement l'histoire de France – dans les écoles et universités, ils occupaient des fonctions régaliennes dans les grands

1. Gildas Le Lidec, *De Phnom Penh à Abidjan. Fragments de vie d'un diplomate*, L'Harmattan, 2014.

ministères ou conseillaient des ministres. Cette vie souvent déconnectée des réalités africaines s'est poursuivie jusqu'à la fin de la guerre froide, en 1989. Elle a sans aucun doute contribué à l'aveuglement français à propos de ce continent.

Une histoire franco-française en Afrique

Aujourd'hui, la France se réveille avec la gueule de bois. Elle pensait avoir profondément marqué l'Afrique de son empreinte civilisatrice. Elle réalise que, pendant tout ce temps, elle n'a représenté que le sucre du mille-feuille africain. Par arrogance, la France dirigeante ne s'est jamais véritablement intéressée à l'histoire du continent ni à sa complexité sociale. Elle semble surprise par la résurgence des royaumes ou des sultanats, comme celui du Kanem-Bornou, dans le bassin du lac Tchad, aujourd'hui fief du mouvement djihadiste nigérian Boko Haram – rebaptisé «État islamique dans la province d'Afrique de l'Ouest» pour mieux souligner son allégeance au «grand frère» Daech (État islamique en Irak et au Levant).

À Paris, pourtant, personne ne doutait que les officiers de la «Coloniale», au XVIIIe et au XIXe siècle, avaient définitivement éteint l'âme d'El Hadj Oumar Tall (1794-1864) et de l'almamy Samory Touré (1830-1900), qui leur avaient résisté. À leur arrivée sur cette «terre inconnue» – et il en va de même aujourd'hui –, les responsables français ne portaient pas attention aux rapports circonstanciés des chercheurs sur l'Afrique. Ils y auraient pourtant appris que, derrière l'Afrique de jour, qu'ils animent avec des dizaines de milliers d'expatriés, perdure une Afrique de nuit, traditionnelle, ancestrale et fondamentale, sur laquelle l'État n'a aucune prise. L'histoire de ce continent, de ses réalités politiques, religieuses et socio-économiques, a trop longtemps été absente des programmes scolaires. Même à l'université, les études africaines sont réduites à la portion congrue dans les sujets d'agrégation.

Cette ignorance et ce désintérêt de la France pour l'Afrique réelle n'ont pas seulement conduit à lui faire perdre pied sur le continent face à une concurrence qu'elle avait sous-estimée ; ils expliquent également son incapacité, chez elle, à valoriser les meilleurs éléments de la diaspora africaine. Les Français n'ont-ils pas toujours aimé que des Afro-Français qui leur ressemblaient – de vrais assimilés plutôt que des individus intégrés mais conservant leur culture ? C'est ainsi que Tidjane Thiam est devenu une icône de la diaspora africaine. L'histoire de ce Franco-Ivoirien brillantissime, titulaire de la double nationalité, a été maintes fois racontée, mais elle est si emblématique de la difficulté d'insertion des cadres africains dans les cercles du pouvoir économique français qu'on ne résiste pas à la rappeler.

Tidjane Thiam a d'abord fait pleurer sa mère, Marietou, une nièce du président Félix Houphouët-Boigny, en défilant sur les Champs-Élysées, le 14 juillet 1983, dans son uniforme de polytechnicien.

Également major de sa promotion à l'École des mines, il est recruté par le cabinet américain McKinsey. En 1994, il rentre en Côte d'Ivoire, où il devient directeur du Plan, puis ministre de la Planification et du Développement, jusqu'au coup d'État de Noël 1999. De retour en France, il se met à la recherche d'un poste du niveau de ceux occupés par ses anciens camarades de promotion. Sans succès. Il finit par s'exiler à Londres, « fatigué de [s]e cogner [en France] contre un plafond de verre parfaitement invisible mais ô combien réel. Frustré de voir que l'Angleterre sait [lui] donner aujourd'hui tout ce que la France n'a pas toujours voulu ou simplement peut-être su [lui] donner : opportunités, respect et, don le plus précieux bien sûr : indifférence à [s]a couleur[1] ». Après avoir dirigé l'assureur britannique Prudential, Tidjane Thiam a pris en mars 2015 la direction de la deuxième banque helvétique, le Crédit suisse. Un peu gêné aux entournures, François Hollande l'a associé en 2013 à la rédaction d'un rapport sur un nouveau partenariat pour l'Afrique[2].

À l'image de Tidjane Thiam, on sent monter la déception des nouvelles générations de diplômés qui voient se fermer devant elles les portes du consulat de France. C'est au Canada – notamment au Québec –,

1. Contribution de Tidjane Thiam à l'ouvrage collectif (sous la direction de l'Institut Montaigne) *Qu'est-ce qu'être français ?*, Hermann, 2009.

2. *Un partenariat pour l'avenir*, rapport rédigé par Hubert Védrine, Lionel Zinsou, Tidjane Thiam, Jean-Michel Severino et Hakim El Karoui, à la demande de Pierre Moscovici, alors ministre de l'Économie et des Finances, mars 2014.

aux États-Unis ou en Chine qu'elles choisissent d'aller poursuivre leurs études. Pendant ce temps, les anciens reprochent à la France son ingratitude après que leurs ancêtres ont versé leur sang sur les champs de bataille de l'ex-Empire.

Signaux d'alarme

Il serait faux de dire que la classe politique n'a pas pris conscience de ce « suicide français » en Afrique. Une série de rapports parlementaires ont fait des états des lieux d'une cruelle lucidité, même s'ils n'ont pas encore eu d'incidence sur le comportement d'un exécutif qui agit dans l'urgence.

Le dernier « lanceur d'alerte » en date est le député socialiste de Saône-et-Loire Philippe Baumel. Dans un rapport d'information très documenté sur le devenir de l'Afrique francophone [1], ce proche de l'ancien ministre Arnaud Montebourg renverse carrément la table. « D'une certaine manière, la politique africaine de notre pays reste à inventer. [...] On a en effet quelque difficulté à lire une stratégie, on peine à voir le rôle que la France prétend jouer à long terme en Afrique », affirme le député, qui a découvert ce continent dans les années 1980 comme enseignant-coopérant dans une Guinée équatoriale qui s'ouvrait à la francophonie et entrait dans la zone

1. *La Stabilité et le développement de l'Afrique francophone*, rapport d'information présenté par Jean-Claude Guibal (UMP) et Philippe Baumel (PS, rapporteur), mai 2015.

franc – une période euphorique pour l'ex-métropole, qui comptait bien multiplier les confettis postcoloniaux. Philippe Baumel poursuit en tirant à vue sur une France qui « n'a pas su se distancier des classes dirigeantes qu'[elle] a toujours soutenues », au détriment « de nouvelles aspirations de la part de la jeunesse, avec laquelle les gérontocraties au pouvoir ne sont plus en contact, si tant est qu'elles l'aient jamais été ».

Le tocsin avait déjà été sonné dans les Assemblées bien avant le rapport Baumel-Guibal. Un rapport alarmiste, malgré son titre positif – *L'Afrique est notre avenir* –, est ainsi établi dès octobre 2013 par les sénateurs Jeanny Lorgeoux et Jean-Marie Bockel[1]. Dans cet état des lieux sans concession de plus de cinq cents pages, les auteurs montrent, chiffres à l'appui, comment l'armée sert de « cache-misère à un recul sur tous les plans de la présence française ». Tous les concurrents de la France ont pris conscience qu'en 2050 le quart de l'humanité serait africain, le continent dépassant les 2 milliards d'habitants. Aujourd'hui, ce sont les Britanniques qui « sont devenus les leaders de la pensée de l'aide au développement », écrivent les deux sénateurs, réputés patriotes et peu suspects de rouler pour Londres. Même les Portugais ont su utiliser leurs anciennes colonies

---

1. *L'Afrique est notre avenir*, rapport d'information fait au nom de la commission des affaires étrangères, de la défense et des forces armées du Sénat par le groupe de travail sur « La présence de la France dans une Afrique convoitée », piloté par les sénateurs Jeanny Lorgeoux et Jean-Marie Bockel, octobre 2013.

lusophones pour « obtenir un siège de membre non permanent au Conseil de sécurité de l'ONU en 2011-2012 ». Le chapitre « Un partenariat commercial en perte de vitesse » égrène les chiffres de l'effondrement des parts de marché des entreprises françaises, désormais dépassées par leurs concurrentes chinoises : elles sont passées de 16 % en 2000 à moins de 10 % en 2010, alors que celles de la Chine grimpaient de 4 % à 16 % sur la même période. Symbole de ce changement d'époque : l'un des derniers comptoirs français, la CFAO (Compagnie française de l'Afrique occidentale), a été repris en 2012 par le groupe japonais Toyota. Les auteurs du rapport – interrogés par leurs interlocuteurs africains en ces termes : « Que fait la France ? Pourquoi, après être restés si longtemps, partir au moment où tout le monde arrive ? » – terminent par « Soixante-dix mesures pour une politique africaine rénovée ».

Le deuxième coup de semonce tombe en mars 2014 avec le rapport évoqué plus haut, *Un partenariat pour l'avenir*[1]. Rédigé par des économistes sous la houlette de l'ancien ministre des Affaires étrangères Hubert Védrine, il recommande lui aussi de « réinvestir au plus vite la présence économique extérieure française en Afrique subsaharienne ». Et fait le même diagnostic sévère : « Alors qu'elle y dispose d'atouts considérables, la France est à la fois peu offensive sur des marchés anglophones et lusophones dynamiques et en déclin commercial sur ses positions

1. *Un partenariat pour l'avenir*, *op. cit.*

"historiques". » Quant à ses concurrents chinois, si souvent vilipendés, ils se permettent des investissements « à caractère social » dans le secteur non marchand (écoles, hôpitaux...), comme en témoigne la construction de six instituts polytechniques et de quatre écoles secondaires dans les provinces de Benguela et de Luanda, en Angola. Certes, François Hollande était le seul chef d'État occidental présent au 50e anniversaire de l'Union africaine (UA), le 25 mai 2013, à Addis-Abeba, mais c'est la Chine qui a offert le nouveau siège de l'organisation : un immeuble de trente étages doté d'une salle de conférences de 2 500 places qui rivalise avec celle des Nations unies à New York, le tout pour 200 millions de dollars. Qui paie commande !

À l'instar de celui des sénateurs, le « rapport Védrine » pointe du doigt le manque de stratégie africaine de la France, la baisse de l'aide aux pays prioritaires, l'hémorragie des services économiques, la désastreuse politique des visas qui fait fuir les hommes d'affaires et les étudiants vers d'autres horizons, le mépris de la diaspora africaine... Lui aussi s'achève par une batterie de quinze propositions, dont la création d'une fondation franco-africaine publique privée, futur « catalyseur du renouveau de la relation économique entre la France et l'Afrique ». Bégaiement de l'histoire : Lionel Zinsou, l'un des auteurs du rapport, a été nommé Premier ministre du Bénin le 18 juin 2015. Très proche du ministre français des Affaires étrangères Laurent Fabius[1], il est même candidat à l'élection présidentielle d'avril 2016 dans ce pays. On peut dire que Lionel Zinsou connaît aussi bien le Champ-de-Mars que la cité lacustre de Ganvié, au Bénin.

Enfin, en août 2014, Jacques Attali a remis à François Hollande le rapport *La Francophonie et la francophilie, moteurs de croissance durable*, que lui avait commandé Pierre Moscovici au mois de mars, alors qu'il était encore ministre de l'Économie. Selon ce rapport, le nombre de francophones passerait de 230 millions en 2014 à 770 millions en 2060, dont 85 % d'Africains. Mais pas forcément 85 % d'amoureux des Gaulois… Le texte va ainsi jusqu'à évoquer la possibilité d'une francophonie économique qui se développerait sans la France. Deux secteurs sont cités en exemple : l'extraction minière canadienne en Afrique et l'éducation supérieure au Québec.

Tous ces rapports semblent indiquer que les dirigeants français s'éveillent enfin à l'Afrique des Africains. Jusqu'à présent, ils pensaient que, une fois sous contrôle l'« Afrique utile », c'est-à-dire économique, l'intendance suivrait. Même suffisance chez certains experts et spécialistes de l'Afrique, prompts à accabler ces « Africains inconséquents » après l'effondrement du Mali et de la Centrafrique. Seuls les plus

1. Banquier d'affaires, ancien associé gérant de Rothschild & Cie, puis du fonds d'investissement PAI Partners, Lionel Zinsou a animé le club de réflexion Fraternité de Laurent Fabius, et c'est lui qui écrivait les discours de ce dernier lorsqu'il était Premier ministre, de 1984 à 1986.

honnêtes d'entre eux avouent qu'ils ne comprennent plus grand-chose, voire qu'ils sont passés à côté de l'essentiel.

Responsable de la cellule crises et conflits de l'Agence française de développement (AFD), et à ce titre vigie la plus avancée de l'expertise française sur l'Afrique, Olivier Ray n'a pas caché son désarroi, le 22 juin 2015, lors d'une journée de rencontres organisée à l'AFD et consacrée à l'avenir du lac Tchad dans un contexte marqué par les attaques de Boko Haram : « On est dépassés par ces réalités. Comment reprendre le contrôle analytique et opérationnel ? On panique face à Boko Haram, qui a même surpris les acteurs de la sécurité. [...] On est trop structurés de façon nationale. Quand on a des acteurs qui se jouent des frontières, comment réagir ? [...] Il faut mettre à jour nos logiciels de compréhension. Jusqu'à présent, on a toujours considéré la religion comme un alibi. Peut-être faut-il désormais comprendre les religions dans leurs dynamiques propres. »

L'Afrique des Africains ignorée

Une telle humilité est rare. À Paris, on ne doute jamais sur les dossiers africains. On sait. Du sommet de l'État aux assistants techniques, on est plus souvent en position de donner des leçons que d'apprendre. Comme nous le verrons, nos présidents, chefs de guerre en Afrique, ont souvent sous-estimé les dirigeants africains qu'ils avaient cooptés, allant jusqu'à les instrumentaliser et les entraîner dans des guerres à l'issue incertaine pour les intérêts de la France. Ainsi Charles de Gaulle avec le président ivoirien Houphouët-Boigny dans la guerre du Biafra ; Valéry Giscard d'Estaing à Kolwezi, au Zaïre, à la place des Belges ; François Mitterrand piégé au milieu du génocide rwandais ; Nicolas Sarkozy tombeur du colonel Kadhafi en Libye ; François Hollande franc-tireur de la guerre contre le terrorisme dans la zone sahélo-saharienne. Chacun y est allé seul. Bien que parfois légitimes au départ, la plupart de ces opérations ont échoué en raison de l'incorrigible prétention française à mieux connaître l'Afrique que les Africains eux-mêmes.

Du côté des hommes d'affaires, on estime qu'un « bon Africain » est un Africain formé en France, s'exprimant parfaitement dans la langue de Voltaire et manifestant bruyamment sa francophilie. Bref, un Français noir né en Afrique. Beaucoup de groupes français n'ont ainsi que tardivement africanisé leurs filiales sur le continent. Habitués jusqu'alors à obtenir des contrats de gré à gré, grâce à un simple coup de fil du locataire de l'Élysée ou de son conseiller, ils constatent désormais que la plupart leur échappent, eux qui pensaient qu'ils leur étaient dus.

Dans les universités africaines, combien de nos mandarins ont passé des décennies à enseigner pour des salaires très élevés sans même s'intéresser à l'histoire du continent ? Aujourd'hui, ils voient avec effarement les Chinois y fonder des instituts Confucius. Des Indépendances, en 1960, jusqu'à la dévaluation du franc CFA, en 1993, des milliers de coopérants se sont substitués à leurs étudiants, devenus eux-mêmes… enseignants chômeurs.

Quant à nos diplomates, ils ont paradé pendant des décennies dans les anciens palais des gouverneurs. Leurs ambassades ont longtemps été les plus flamboyantes des capitales africaines. Ils étaient souvent assis à côté des chefs d'État lors des défilés militaires et des dîners de gala, alors que les « Excellences » des autres pays siégeaient en bout de table. Ils « portaient la parole de la France » sans écouter leurs interlocuteurs. Aujourd'hui, le Quai d'Orsay semble croire que le moyen le plus sûr de visiter l'Afrique, c'est Internet ! En effet, en raison du principe de précaution face au terrorisme, la majeure partie du continent est en zone rouge – « formellement déconseillée » – sur la page « Conseils aux voyageurs » du site du ministère des Affaires étrangères. Même la Côte d'Ivoire est passée de « vigilance normale » à « vigilance renforcée ». Dans le même temps, sur place, les centres culturels français se bunkérisent.

Arrivés les premiers, avec les militaires, sur cette « *Africa Incognita* », les missionnaires catholiques français se sont employés pendant plus d'un siècle à convaincre leurs ouailles de brûler leurs reliques et leurs fétiches. Interdiction de dialoguer avec les ancêtres enterrés dans le jardin ! Remplacées au fil des ans par des prêtres italiens, puis polonais, les congrégations françaises – dont les écoles en Afrique étaient financées par la coopération française – sont désormais vivement concurrencées par les Églises de réveil issues de mouvements religieux américains (évangélique, pentecôtiste, charismatique...). La guerre de religion en Afrique opposera ces Églises et un riche islam de « bienfaisance » de plus en plus politique.

La France n'est pas moins arrogante sur le plan militaire. Base arrière des réseaux gaullistes de la Résistance, source abondante d'uranium, l'Afrique a toujours constitué pour elle le cœur du dispositif stratégique et le seul continent d'influence, en particulier celui de ses services secrets. Pour les seuls intérêts de l'ex-métropole. Les tirailleurs sénégalais, qui en 1914-1918 comme en 1945 chantaient en première ligne : « Nous venons de nos pays pour sauver la Patrie », ont été par la suite totalement méprisés, recevant des pensions au montant aligné sur le panier de la ménagère... africaine. Pendant toute la guerre froide, les soldats français se sont installés en famille dans une dizaine de bases en Afrique, avec les pleins pouvoirs. Toutefois, à l'instar des coopérants civils dans l'enseignement, ils ont finalement formé peu de soldats africains. Malgré la création d'écoles régionales militaires et la mise au point de plusieurs opérations de formation, comme RECAMP (Renforcement des capacités africaines de maintien de la paix), les armées africaines dans les anciennes colonies françaises sont toujours à l'étiage... et l'armée française toujours en première ligne.

Du côté des parlementaires, députés et sénateurs français se battent pour présider, dans leurs Assemblées respectives, les groupes d'amitié avec un pays africain. Il n'est pas rare qu'ils franchissent la ligne rouge, par exemple pendant les périodes électorales, lorsqu'ils officient comme « observateurs indépendants ». Ils sont alors reçus comme des princes dans les présidences de leur pays de prédilection. Cooptés par certains dirigeants africains au pouvoir depuis des décennies, ils deviennent aussi indéboulonnables qu'eux. Ces parlementaires sont également très sollicités par les entreprises françaises en raison de leur intimité avec les cercles de pouvoir africains : ils deviennent alors de discrets messagers pour transmettre des doléances ou remporter des contrats sans passer par les appels d'offres.

Enfin, pour compléter la galerie des acteurs majeurs de la Françafrique qui ne doutent pas d'eux-mêmes, il ne faut pas oublier les ténors du barreau parisien. En affichant leur présence dans les palais présidentiels, ces avocats français de renom agacent vivement leurs confrères africains. Les chefs d'État qu'ils défendent dans des dossiers souvent privés jouent de leur arrogance pour se concilier le pouvoir exécutif à Paris.

Loin de moi l'idée de condamner tous les Français qui vivent (ou ont vécu) en Afrique et exercent (ou ont exercé) leur profession sur le continent ou en lien avec lui. C'est le mépris de l'Afrique et des Africains que ce livre s'emploie à dénoncer. Or nous ne prétendons pas que ce comportement soit unanimement répandu. Il faut citer l'exemple des nombreux fonctionnaires ou entrepreneurs français qui ont traité les Africains comme des « frères », d'égal à égal.

Jean Audibert était de ceux-là. Cet ancien de l'ENFOM (École nationale de la France d'outre-mer) a gravi tous les échelons d'une carrière française exclusivement africaine : commandant de cercle, chef de mission de coopération, chef de cabinet du gouverneur, administrateur de toutes les structures de la coopération (BDPA, SATEC, CCCE, ASECNA, etc.), directeur du développement, directeur de cabinet du ministre, conseiller Afrique à l'Élysée, ambassadeur de France… À sa mort le 20 janvier 1999, son épouse, Andrée Dore-Audibert, elle-même assistante sociale de la France d'outre-mer entre 1949 et 1963 et fonctionnaire au ministère de la Coopération jusqu'en 1982, a compilé l'ensemble des interventions, des discours et des exposés les plus visionnaires de l'homme d'exception qu'était son mari sous le titre : *Jamais je n'ai cessé d'apprendre l'Afrique*. Une profession de foi restée longtemps inaudible au milieu d'un océan d'arrogance…

Chapitre premier

Arrogant comme… nos présidents en chefs de guerre

À revisiter les opérations de nos présidents chefs de guerre en Afrique, ce qui frappe, c'est la méconnaissance, l'ignorance, l'incompréhension du continent et des réactions de ses habitants. Ils se croyaient aimés, écoutés et obéis, ils se découvrent « blagués », contournés et instrumentalisés par les chefs africains.

L'aveuglement le plus dramatique a bien sûr été celui de François Mitterrand au Rwanda lorsqu'il a soutenu le régime génocidaire du président Juvénal Habyarimana, vanté à Paris comme « le meilleur élève de la démocratie » – version La Baule. Mais bien d'autres l'ont précédé et suivi. Le Nigeria que de Gaulle aurait voulu démanteler est devenu la principale puissance du continent, et son président Muhammadu Buhari est accueilli sur un tapis rouge à l'Élysée. Valéry Giscard d'Estaing n'aurait jamais pu imaginer que l'ancien sous-officier de l'armée française Jean-Bedel Bokassa allait contribuer à l'échec de sa réélection à la présidence de la République en 1981. Jacques Chirac, qui n'est jamais sorti de la Françafrique gaulliste, n'a pas vu changer la Côte d'Ivoire : l'homme qu'il refusait de recevoir, Alassane Dramane Ouattara, est aujourd'hui le locataire du palais présidentiel d'Abidjan. La hargne et la précipitation de Nicolas Sarkozy pour faire oublier sa réception du colonel Kadhafi en grande pompe à l'Élysée en 2007 n'ont pas permis d'empêcher l'implosion de la Libye et ses effets collatéraux meurtriers dans toute l'Afrique subsaharienne. Enfin, François Hollande croit toujours qu'il a changé le destin du Mali avec l'opération Serval de janvier 2013. N'injurions pas l'avenir...

Le Général, chef sécessionniste au Biafra

Le général de Gaulle, qui avait fait de l'Afrique la base arrière des réseaux de résistance de la « France libre », a maintenu dans toutes les anciennes colonies un appareil sécuritaire au plus haut niveau. Il a ainsi assuré la sécurité et le maintien au pouvoir de dirigeants cooptés pour leur francophilie, dont certains étaient ministres français avant les Indépendances, tels le président ivoirien Félix Houphouët-Boigny ou le président sénégalais Léopold Sédar Senghor.

Charles de Gaulle s'est d'abord laissé surprendre par un putsch civil au Congo-Brazzaville le 15 août 1963 : Jacques Foccart était en vacances ! On ne l'y reprendra pas. Le 18 février 1964, il envoie les parachutistes au Gabon pour rétablir le président Léon Mba, renversé la veille par un coup d'État militaire. L'opération est avalisée par les partenaires occidentaux de la France, qui lui laissent le rôle de « gendarme de l'Afrique » contre les satellites de l'Union soviétique. C'est la guerre froide…

L'intervention française pour soutenir la sécession biafraise contre le Nigeria en 1967 s'inscrit dans un tout autre registre. Le Nigeria, puissance anglophone, fait peur aux alliés africains francophones de la France, à l'instar du « doyen » Félix Houphouët-Boigny. C'est le président ivoirien qui va pousser de Gaulle à la « faute » dans cette affaire.

L'ethnie ibo, chrétienne et animiste, est installée dans le sud du pays, principale région pétrolière, et cherche à s'affranchir de la tutelle fédérale des Haoussa, majoritairement musulmans et situés dans le Nord. Le général de Gaulle était déjà furieux que le Nigeria ait critiqué le troisième essai nucléaire français effectué à Reggane, en Algérie, et expulsé l'ambassadeur de France. Aussi n'est-il pas mécontent d'affaiblir ce pays, soutenu non seulement par l'ancien colonisateur britannique, mais également par les États-Unis et la Russie. Avec le soutien des services secrets français (SDECE) et des hommes des réseaux Foccart – Philippe Letteron auprès du président gabonais Omar Bongo, Jean Mauricheau-Beaupré auprès du président ivoirien Félix Houphouët-Boigny –, une opération clandestine est montée pour livrer des armes au chef autoproclamé de la république du

Biafra, le colonel Emeka Ojukwu. Le gouvernement fédéral met en place un blocus terrestre et maritime qui plonge la région dans la famine. On assiste à une mobilisation très médiatisée des humanitaires, qui donnera naissance à Médecins sans frontières en 1972.

Face à l'échec militaire, une stratégie de désinformation est mise en œuvre par les services, dénonçant un supposé « génocide » des Ibo. Dans ses Mémoires, le colonel Maurice Robert, responsable Afrique du SDECE durant la guerre du Biafra, expliquera : « Ce que tout le monde ne sait pas, c'est que le terme de "génocide" appliqué à cette affaire du Biafra a été lancé par les services. Nous voulions un mot choc pour sensibiliser l'opinion. Nous aurions pu retenir celui de massacre, ou d'écrasement, mais génocide nous a paru plus "parlant". Nous avons communiqué à la presse des renseignements précis sur les pertes biafraises et avons fait en sorte qu'elle reprenne rapidement l'expression "génocide". *Le Monde* a été le premier, les autres ont suivi [1]. »

S'il n'y a pas de « génocide », près de 2 millions de personnes meurent de faim ou d'épidémies dans la région biafraise à la suite du blocus. Avec un appui massif des Britanniques, les forces fédérales nigérianes reprennent le contrôle du Biafra le 15 janvier 1970 à la suite d'un cessez-le-feu avec les indépendantistes. Le chef éphémère de la république du

1. Maurice Robert, *« Ministre » de l'Afrique. Entretiens avec André Renault*, Seuil, 2004, p. 180.

Biafra, le colonel Emeka Ojukwu, se réfugie en Côte d'Ivoire.

Élu le 15 juin 1969, le successeur du général de Gaulle, Georges Pompidou, gardera Jacques Foccart auprès de lui, mais sera le seul président français à ne pas connaître ou décider d'interventions militaires en Afrique, jusqu'à sa mort le 2 avril 1974.

Valéry part à la chasse à Bangui

Il en va tout autrement de Valéry Giscard d'Estaing. Quand il accède au pouvoir, le 27 mai 1974, « VGE », passionné de chasse, connaît déjà mieux la faune et le gros gibier d'Afrique que les dirigeants africains eux-mêmes. Interrogé sur le sujet en 2013, il explique : « Pour les grands animaux comme le buffle, l'éléphant ou les grandes antilopes, je suis beaucoup allé en Afrique, au Cameroun, au Gabon, au Kenya, en Tanzanie, dans les anciennes colonies françaises et anglaises. Mais j'ai cessé un jour, car ma fille, lorsqu'elle était petite, me le reprochait[1]. » Il évite soigneusement de citer la République centrafricaine, sur laquelle il a pourtant jeté son dévolu et où son aveuglement l'a conduit à un comportement pour le moins paradoxal, qui lui fut fatal.

Ancien sous-officier de l'armée française, le Centrafricain Jean-Bedel Bokassa a combattu en Indochine et en Algérie. Lorsque son pays acquiert

1. *Le Figaro*, 3 novembre 2013.

l'indépendance, il rentre à Bangui et devient chef d'état-major de l'armée centrafricaine en 1964. Un an plus tard, le 31 décembre 1965, il s'empare du pouvoir par un putsch baptisé tout simplement « coup d'État de la Saint-Sylvestre ». Bokassa, qui agaçait beaucoup le général de Gaulle en lui donnant du « Papa », se montre d'emblée familier avec Valéry Giscard d'Estaing, brillantissime polytechnicien et énarque, l'appelant « cousin » et « très cher parent ». Non seulement « VGE » ne s'en offusque pas, mais il lui retourne l'amabilité quand il lui rend visite entre deux parties de chasse.

C'est dans cette ambiance familiale que Jean-Bedel Bokassa s'autoproclame président à vie le 2 mars 1972, puis maréchal le 19 mai 1974. Son « cousin » français ne bronche pas. Jean-Bedel finit par se faire couronner « empereur Bokassa Ier » le 4 décembre 1977 – une date qui rappelle celle du sacre de Napoléon Ier, le 2 décembre 1804, soit cent soixante-treize ans plus tôt… Si Valéry Giscard d'Estaing n'assiste pas en personne à la cérémonie – il délègue son conseiller Afrique, René Journiac, et son ministre de la Coopération, Robert Galley –, le cœur y est. Le président français a même un geste d'amitié longtemps gardé secret pour son « parent » centrafricain : le service cinématographique de l'armée française filme le sacre pour les archives personnelles de Bokassa. Jean-Bedel est touché.

L'idylle ne dure pas. Boudé par ses pairs africains, l'empereur s'isole et durcit sa politique. Répondant au mécontentement social par une répression brutale, il est peu à peu lâché par la France. Jusqu'au jour où, mal inspiré, il franchit le Rubicon en se rendant à Tripoli chez le colonel Kadhafi. La Centrafrique étant une plate-forme stratégique – elle sert de base arrière aux opérations de l'armée française au Tchad et permet de surveiller, à l'ouest, les confins du Nord-Cameroun –, la France lance l'opération Barracuda et renverse Bokassa le 21 septembre 1979. Du Transall de l'armée française débarque, une valise à la main, David Dacko, le propre cousin (cette fois-ci au sens propre) de Bokassa, qui l'avait lui-même destitué en 1965. Dacko, un peu malade, annonce la chute de l'empire et rétablit la république. Retour à la case départ !

Une fois de plus, un président de la République française mène une politique totalement inconséquente vis-à-vis d'un pays africain et de son dirigeant. Pour Valéry Giscard d'Estaing, son « aventure centrafricaine » ne devait constituer qu'une affaire domestique secondaire. Elle aura pourtant des répercussions politiques décisives. Dès le 10 octobre 1979, *Le Canard enchaîné* révèle l'« affaire des diamants » : VGE aurait accepté de recevoir, en guise de présent, de l'empereur Bokassa, des plaquettes de petites pierres précieuses. S'il niera toujours ce fait, il reconnaîtra en revanche, plus tard, que ce scandale a contribué à sa défaite à la présidentielle de 1981 face à François Mitterrand. Il ne faut jamais sous-estimer l'Afrique des Africains…

On ne saurait toutefois limiter les interventions militaires françaises de Giscard à la Centrafrique.

C'est quasiment seul, en tant que chef des armées, que le président français décide, le 17 mai 1978, le lancement de l'opération Bonite au Zaïre (aujourd'hui république démocratique du Congo). Six cents soldats français, issus en particulier du 2e REP (régiment étranger de parachutistes), sautent sur Kolwezi pour libérer des otages européens aux mains de rebelles katangais soutenus par l'Angola prosoviétique. Une décision française unilatérale dans une ancienne colonie belge… Cette intervention militaire suscite une sourde rivalité avec la Belgique dont saura profiter le maréchal Mobutu. Vingt ans plus tard, la France tentera encore de voler à son secours, juste avant sa chute en mai 1997. Comme s'il fallait toujours que Paris soit l'ultime bouée de sauvetage des autocrates. Mobutu s'enfuira via le Togo et mourra au Maroc d'un cancer, le 7 septembre 1997. Il laissera au Trésor zaïrois une dette de 13 milliards de dollars, soit un peu plus du double de sa fortune personnelle, évaluée à 6 milliards.

François M. remplace les Belges à Kigali

Ancien ministre de la France d'outre-mer, François Mitterrand croit lui aussi bien connaître l'Afrique quand il accède au pouvoir le 21 mai 1981. Et la connaître si bien que, dans les années 1990, il se fait fort de remplacer les Belges au Rwanda. Une arrogance qui conduira la France à soutenir jusqu'au bout un régime génocidaire. D'octobre 1990 à mars 1993, la présence militaire française dans le pays ne cesse de se renforcer, au point que les soldats français se retrouvent « le doigt sur le doigt sur la détente » dans une armée rwandaise en déroute face aux rebelles du Front populaire rwandais (FPR), jusqu'alors réfugiés en Ouganda. En clair, les « instructeurs » français sont au front, en première ligne...

Encouragé tant par ses militaires que par ses diplomates, François Mitterrand fera preuve dans ce dossier d'un laisser-aller un peu méprisant. Son état-major est totalement obnubilé par le soutien anglo-saxon aux rebelles rwandais, qui débarquent en « terre francophone ». Quant au Quai d'Orsay, il baigne dans l'ambiance du sommet de La Baule, avec son mot d'ordre « La démocratie pour tous en Afrique » – pour tous, mais surtout pour les ethnies majoritaires. Au Rwanda, cela tombe bien : le président Juvénal Habyarimana est un Hutu, l'ethnie qui représente 85 % de la population. Aveuglement total, comme le relèveront par la suite les députés rapporteurs de la mission d'information sur le Rwanda : « La situation rwandaise a été analysée à travers une grille de lecture traditionnelle, héritée de la décolonisation belge, qui fait du critère ethnique le critère explicatif principal des rapports sociaux et politiques[1]. »

Après l'opération Amaryllis, en avril 1994, qui consiste à évacuer les seuls ressortissants européens tandis que le président Habyarimana vient d'être

1. *Rapport d'information sur le Rwanda*, déposé par M. Paul Quilès (président) et MM. Pierre Brana et Bernard Cazeneuve (rapporteurs), Assemblée nationale, décembre 1998.

assassiné et que commence le génocide, la France lance en juin l'opération militaro-humanitaire Turquoise, cette fois-ci avec l'aval des Nations unies. Cette initiative sera tout aussi controversée : les nouvelles autorités rwandaises et certaines ONG accuseront l'armée française d'avoir facilité, sous couvert de cette opération, la fuite de génocidaires ou d'avoir laissé se poursuivre des massacres de Tutsi. Le pouvoir français rétorquera que Turquoise n'était pas une force d'interposition, et n'avait donc pas à désarmer et arrêter les génocidaires hutu.

Par ailleurs, François Mitterrand, comme ses prédécesseurs, mènera au cours de ses deux mandats plusieurs opérations militaires pour protéger le Tchad des velléités d'invasion libyennes au nord. Après des négociations secrètes menées par son ministre des Affaires étrangères, Roland Dumas, il finira par trouver un accord avec le colonel Kadhafi sur une « ligne rouge » à ne pas franchir. Diverses opérations concerneront également les Comores, où sévissait le mercenaire Bob Denard, ex-« corsaire » au service des services français.

L'un des rares gestes de reconnaissance de François Mitterrand à l'égard d'un dirigeant africain eut lieu discrètement, en 1985, lorsqu'il invita le président nigérien Seyni Kountché à visiter les silos des missiles nucléaires français sur le plateau d'Albion. Dans les ogives, de l'uranium nigérien enrichi. Il est vrai que le colonel Seyni Kountché, qui avait renversé le 15 avril 1974 le président Hamani Diori, dont il était le chef d'état-major, avait été formé en France et avait, avant les Indépendances, combattu dans l'armée française en Indochine et en Algérie. Un frère d'armes, donc…

Jacques joue Apocalypse now *sur la lagune Ébrié*

Président de la République française de 1995 à 2007, Jacques Chirac a toujours été très à l'écoute de ses généraux. La seule photo accrochée dans la salle d'attente de son état-major particulier, au 10, rue de l'Élysée, le représentait d'ailleurs, alors qu'il était lieutenant en Algérie, en train de boire le thé sous une tente. Elle n'a pas été décrochée après son départ du « Château ».

Les principales décisions d'intervention militaire de Chirac au cours de ses deux mandats ont concerné la Côte d'Ivoire, un pays qui a longtemps constitué le cœur politique et économique de la France en Afrique, et surtout qu'il a toujours chéri. Ainsi, Chirac ne s'est jamais remis de la disparition, le 7 décembre 1993, du président ivoirien Houphouët-Boigny, qu'il appelait affectueusement, comme les Africains, « le Vieux ». Il était hostile à la dévaluation du franc CFA, actée un peu à la sauvette le 11 janvier 1994 par le gouvernement d'Édouard Balladur. Et il était encore plus furieux de voir que le tête-à-tête franco-africain prenait fin avec le passage des pays du pré carré sous la tutelle économique et financière du FMI et de la Banque mondiale. Jacques Chirac vivait dans la nostalgie de l'osmose gaullienne de la période Françafrique.

Aussi, quand le président Laurent Gbagbo, élu en 2000, appelle la France à l'aide pour lutter contre les rebelles venus du nord et soutenus par le Burkina Faso, Chirac refuse toute intervention directe. Pour lui, Gbagbo demeure l'opposant historique du « Vieux » ; de surcroît, son parti, le Front populaire ivoirien (FPI), est membre de l'Internationale socialiste. Dans le cadre des Nations unies, la force française Licorne intervient avec 4600 hommes, coupant le pays en deux au niveau de Bouaké. Un *statu quo* qui permet à la rébellion de renforcer ses positions, y compris économiques au nord.

Jacques Chirac commet ensuite l'erreur de vouloir gérer lui-même la crise politico-militaire à Paris. En janvier 2003, les responsables des différentes forces politiques ivoiriennes sont enfermés durant une semaine dans le stade de rugby de Linas-Marcoussis. Leur mission : trouver un consensus de sortie de crise. Mais Alassane Ouattara, l'actuel président de la Côte d'Ivoire, et Guillaume Soro, alors chef des rebelles, aujourd'hui président de l'Assemblée nationale, sont reçus « nuitamment », comme on dit en Afrique, dans le plus grand secret, au Quai d'Orsay, par le ministre des Affaires étrangères, Dominique de Villepin. C'est là qu'est concoctée une manipulation grossière : transformer Laurent Gbagbo en « reine d'Angleterre » et confier tous les pouvoirs à un Premier ministre soutenu par l'opposition. À l'issue de cette nuit de complot, Dominique de Villepin intime à Laurent Gbagbo l'ordre de rentrer chez lui sans participer au déjeuner officiel et de se conformer

« à la lettre » aux accords signés à Paris. C'est traiter comme un sous-préfet le président élu, déjà vilipendé par ses pairs africains (Omar Bongo, Abdoulaye Wade...), que Jacques Chirac a pris soin de mobiliser. Là encore, l'arrogance française n'a pas de limites.

L'effet boomerang est immédiat, avant même le retour de Laurent Gbagbo à Abidjan : on assiste en Côte d'Ivoire à une flambée de violences nationalistes ; le centre culturel français est pillé et le consulat attaqué. Gbagbo déclare qu'il respectera l'« esprit » des accords de Marcoussis, mais pas leur contenu. Le gouvernement de réconciliation nationale tiendra moins de un an. Bref, la politique paternaliste postcoloniale a fait son temps, mais Paris n'en est pas encore informé. Avec le recul, Gildas Le Lidec, ambassadeur de France en Côte d'Ivoire de 2002 à 2005, s'interroge encore, au lendemain de l'intervention éclair de l'armée française au Mali, en janvier 2013 : « Que n'avons-nous, huit ans plus tôt, rêvé nous aussi, avec l'état-major de Licorne, d'une "charge de la brigade légère" qui eût repoussé militairement la rébellion pour apporter diplomatiquement une solution ? Au lieu de quoi, nous avons tracé une ligne de démarcation et nous nous sommes assis, à Marcoussis, au milieu des problèmes sans grande chance de les résoudre. Nous n'avons pas cité la Côte d'Ivoire, mais nous avons abondamment fait référence [...] à l'Afghanistan pour démontrer qu'au Mali également nous saurions organiser notre retrait à une date rapprochée[1]. »

1. Gildas Le Lidec, *De Phnom Penh à Abidjan*, *op. cit.*, p. 140.

En novembre 2004 se joue en Côte d'Ivoire une autre tragédie, sans doute plus franco-française que franco-ivoirienne. Frustré de ne toujours pas contrôler le nord du pays, le pouvoir ivoirien décide de lancer une opération de reconquête baptisée Dignité. L'objectif est de reprendre la ville symbolique de Bouaké, toujours aux mains des rebelles. Dans l'après-midi du 6 novembre, deux Soukhoï SU-25 décollent de Yamoussoukro, la capitale politique, au vu et au su de l'armée française. Aux commandes, deux pilotes biélorusses et deux copilotes ivoiriens. Après un premier passage de reconnaissance au-dessus du lycée français Descartes, qui sert de campement aux troupes françaises, l'un des deux avions lâche ses roquettes sur un gymnase abritant un mess d'officiers, officiellement fermé. Le bilan est de dix morts – neuf soldats français et un civil américain – et une quarantaine de blessés.

Ces militaires n'étaient pas supposés se trouver à cet endroit-là à ce moment-là, mais Jacques Chirac, en représailles, fait détruire tous les avions de l'armée ivoirienne, y compris un hélicoptère stationné dans les locaux de la présidence. Des émeutes éclatent à Abidjan, faisant des dizaines de morts parmi la population, et des milliers de Français sont évacués en urgence. Malgré la persévérance de leur avocat, Jean Balan, les familles des soldats français tués ne savent toujours pas qui est responsable de leur mort. Pourquoi l'équipe de mercenaires biélorusses a-t-elle pu quitter le pays par le Togo après avoir été débriefée par l'armée française ? Qui a laissé croire aux pilotes que des rebelles se trouvaient dans ce campement ? Cette manipulation aurait-elle été montée pour favoriser un coup d'État militaire à Abidjan ? Aucun moyen d'obtenir des réponses sans lever le secret Défense.

Quand il quitte l'Élysée en 2007, le président Chirac a perdu tous ses repères en Côte d'Ivoire.

Nicolas à Tripoli

C'est aussi en Côte d'Ivoire que son successeur, Nicolas Sarkozy, revêtira pour la première fois son *battle-dress* de chef des armées en Afrique, à l'automne 2010, pour une opération politiquement risquée, mais « chirurgicale »... avant de déverser un déluge de bombes sur la Libye quelques mois plus tard.

À l'issue de l'élection présidentielle d'octobre-novembre 2010 en Côte d'Ivoire, deux candidats, Laurent Gbagbo et Alassane Ouattara, revendiquent la victoire, mais seul le second est reconnu par la communauté internationale. Une situation critique s'installe entre les deux camps rivaux pendant plusieurs semaines. Le 11 avril 2011, Nicolas Sarkozy ordonne aux soldats français de la force Licorne de neutraliser la défense de Laurent Gbagbo, cerné dans son bunker de Cocody, à Abidjan, ce que tentaient de faire sans succès depuis des jours les anciens rebelles d'Alassane Ouattara.

Le mandat des Nations unies qui officialisait la présence des troupes françaises était loin d'autoriser un tel assaut direct. Mais, en tant que force de réaction rapide officielle des missions de l'ONU, l'armée française intervient toujours sur le terrain sous son propre commandement. C'est la première ambiguïté. De plus, les relations anciennes et très amicales entre Nicolas Sarkozy et le couple Ouattara ont renforcé l'opacité de l'intervention française et convaincu les partisans de Laurent Gbagbo de la partialité de la France dans cette affaire.

Pour les Ouattara, l'élection de leur « ami Nicolas », le 16 mai 2007, à la présidence de la République française, avait été un formidable encouragement à se battre pour accéder au pouvoir en Côte d'Ivoire. L'« exilé de Mougins », comme l'appelait ironiquement le camp Gbagbo en référence à la ville française où Ouattara a sa résidence secondaire, venait régulièrement prendre l'apéro à l'Élysée en fin d'après-midi. Plus tard, il fut l'un des rares visiteurs étrangers de la résidence du cap Nègre, chez Carla Bruni-Sarkozy. Quant à l'ami commun des deux couples, Martin Bouygues, il fait des affaires florissantes au pays du cacao : production de gaz, construction d'un troisième pont sur la lagune Ébrié et demain, sans doute, mise en place d'un tramway du centre de la capitale économique à l'aéroport.

Alors, fallait-il croire Nicolas Sarkozy quand il assurait, le 28 février 2008, devant le Parlement du Cap, en Afrique du Sud, qu'il n'admettrait plus « qu'un seul soldat français tire sur un Africain » et que la France n'avait « pas vocation à maintenir indéfiniment des forces armées en Afrique » ?

Après avoir abusé de son pouvoir discrétionnaire en Côte d'Ivoire, Nicolas Sarkozy va jouer aux apprentis sorciers en Libye. Kadhafi à Paris en 2007, déluge de feu sur Tripoli en 2011 : ces deux images se télescopent dans un indescriptible et inconséquent big-bang politique. Le 20 octobre 2011, le colonel Mouammar Kadhafi, après s'être livré pendant plus de quarante ans à une partie de cache-cache meurtrière avec la France, est capturé, lynché et tué par des opposants du régime à la suite du bombardement de son convoi par un Mirage 2000 de l'armée française.

Quatre ans plus tôt, le 12 décembre 2007, le même, alors « président de la Jamahiriya arabe libyenne populaire et socialiste », comme il aime à se présenter, pose poing levé sur le perron de l'Élysée au côté d'un Nicolas Sarkozy un peu crispé. Sous la tente qu'il a fait dresser dans les jardins de l'hôtel de Marigny jouxtant l'Élysée, les plus grands patrons du CAC 40 viennent s'incliner devant le « terroriste repenti ». On lui réserve les honneurs les plus élevés de la République dans la perspective de mirifiques contrats. Les bords de Seine sont bloqués afin que le colonel puisse se promener en toute sécurité sur le fleuve. Il se rend ensuite à Rambouillet pour une partie de chasse, puis à Versailles pour une photo souvenir devant la reconstitution du trône de Louis XIV…

Avant cette visite officielle – et inédite –, un accord-cadre stratégique, paru au *Journal officiel* de la République française le 15 novembre 2007, a été signé entre la France et la Libye, engageant Paris à l'égard de Tripoli dans les secteurs les plus sensibles de l'appareil d'État. Une confiance aveugle qui surprend rétrospectivement. La France promet ainsi de « renforcer les capacités de défense de la Libye » à travers « la promotion de partenariats et d'investissements entre les deux sociétés de défense des deux États (y compris dans les domaines de l'aéronautique et du spatial) ». Paris, qui va apporter son savoir-faire pour aider la Libye à développer un « programme électronucléaire civil », promet de se concerter régulièrement avec Tripoli sur les dossiers africains et reconnaît l'importance de la Communauté des États sahélo-sahariens (CEN-SAD), si chère à Kadhafi. Ce dernier, de son côté, accepte la mise en place d'un « dispositif de surveillance et de réadmission » des immigrés illégaux subsahariens passant par la Libye.

Le 8 mars 2011, soit onze jours avant l'intervention de l'invincible armada franco-britannique en Libye, l'ambassadeur de France François Gouyette déclarait encore devant la commission des affaires étrangères de l'Assemblée nationale : « En ce qui concerne les flux migratoires, les accords passés avec l'Italie avaient porté leurs fruits, puisque les arrivées de migrants ont diminué de 90 %, notamment grâce aux moyens de contrôle – des vedettes, par exemple – mis à la disposition des Libyens par l'Italie. À la faveur des événements actuels, le flux vers Lampedusa a toutefois repris, ce qui donne au pouvoir des arguments pour se présenter en dernier rempart contre une invasion de l'Europe. Il existe des éléments objectifs de préoccupation : la pression migratoire en provenance du Sahel et du sud de l'Afrique va se poursuivre quelle que soit l'évolution de la situation intérieure en Libye. Plus tôt les choses se stabiliseront, mieux ce sera[1]. »

La raison d'un tel traitement de faveur pour l'ancien « Mister Iznogoud » libyen ? Un dépit amoureux. Kadhafi avait appâté Nicolas Sarkozy avec la perspective d'un achat exclusif d'armements pour plusieurs dizaines de milliards de dollars, une transaction qui devait, expliquait alors le président français, « générer plus de 30 000 emplois ». Dans la *shopping list* figuraient quatorze Rafale, trente-cinq hélicoptères Tigre, Fennec et EC-135, six navires, des blindés, des radars de défense aérienne, etc. Las ! À la date butoir du 1er juillet 2008, fixée par un accord exclusif conclu avec les industries d'armement concernées par ces marchés, l'encre avait séché dans le stylo. En revanche, le colonel Kadhafi avait fait affaire avec les Russes pour ses avions de chasse et avec son ami italien Silvio Berlusconi pour le reste. Nicolas Sarkozy, furieux, serrait les dents. Mouammar Kadhafi lui avait manqué ; pis, il l'avait ridiculisé. On connaît la suite.

François H. à Tombouctou

« Je viens sans doute de vivre la journée la plus importante de ma vie politique. » En ce 2 février 2013, à Bamako, alors que l'armée française vient

1. Audition de François Gouyette, ambassadeur de France en Libye, sur les événements en Libye, devant la commission des affaires étrangères, 8 mars 2011.

de reprendre le nord du Mali des mains des djihadistes, le président François Hollande, au milieu des drapeaux bleu-blanc-rouge et des cris « Merci papa Hollande ! », « Vive la France, vive Hollande ! », est un chef de guerre comblé. Qui aurait pu prédire, quelques années plus tôt, que c'est en Afrique que l'ancien secrétaire du parti socialiste connaîtrait ce jour de gloire ? Certainement pas son ami de toujours et camarade de la promotion Voltaire à l'ENA, Jean-Pierre Jouyet. Aujourd'hui secrétaire général de l'Élysée, il a raconté au *Monde Magazine* leur première rencontre avec ce continent[1]. À l'époque, c'était véritablement pour eux une *terra incognita.*

« À l'ENA, François décidait et nous suivions, car il était très avisé. Un jour nous devions choisir nos options. Il me dit : “On va prendre la Corne de l'Afrique.” [...] Moi : “Mais on n'y connaît rien.” Hollande : “Justement, personne n'y connaît rien, ce sera plus facile d'avoir une bonne note.” On a planché sur le conflit somalo-éthiopien. Nous sommes allés ensemble en Somalie, c'était inouï. Et il avait raison, on a eu une bonne note. »

Depuis, c'est peut-être sur le terrain de l'Afrique que le président de la République exerce la plénitude de son pouvoir. Il est conseillé par son chef d'état-major particulier, Benoît Puga, parachutiste de l'infanterie de marine qui, depuis Kolwezi, en 1978, est intervenu sur tous les théâtres d'opérations de l'armée française en Afrique. À l'abri des critiques que

1. *Le Monde Magazine*, 9 août 2014.

lui vaut sa politique intérieure, François Hollande est devenu sur le continent un vrai « marsouin » d'honneur. Grâce aux troupes de marine (anciennes troupes coloniales), le chef de l'État a la possibilité de décider seul. Ce qu'il n'a pu faire, par exemple, à propos de la Syrie à la fin de l'été 2013, quand Barack Obama lui a annoncé qu'il allait soumettre au Congrès la proposition d'une intervention commune – autrement dit, lui a adressé une fin de non-recevoir.

C'est ce qu'a bien exprimé, en novembre 2013, le général Didier Castres, sous-chef d'état-major opérations au ministère de la Défense, devant une poignée de sénateurs français : « L'Afrique est probablement la seule zone où nous pouvons peser sur une crise dans ses différents volets (politique, militaire, développement, gouvernance), mais également susciter un effet d'entraînement diplomatique et militaire sur des partenaires européens [1]. » La capacité d'intervention rapide grâce aux bases et aux dix mille hommes prépositionnés ne fait aucun doute. L'effet d'entraînement sur les autres membres de l'Union européenne, en revanche, n'est pas avéré [2].

Sans appui européen, ni en hommes ni en moyens financiers, il a bien fallu que le « général Hollande » resserre le dispositif. Résultat : un zoom sur la seule région sahélo-saharienne et un retour au pré carré des anciennes colonies de la zone franc, principalement

1. Audition devant les sénateurs Jean-Marie Bockel et Jeanny Lorgeoux pour le rapport *L'Afrique est notre avenir*, 29 novembre 2013.

2. Voir *infra*, chapitre 4, « Nos militaires en solo ».

d'Afrique de l'Ouest. Il a ainsi été décidé de réduire les effectifs du 6e bataillon d'infanterie de marine de Libreville, au Gabon, de 950 à 350 hommes. C'est pourtant une base qui ne coûte pas cher, puisque le terrain appartient à la France.

Ce qui n'est pas le cas à Djibouti. Dans ce pays de la Corne de l'Afrique, la location des terrains militaires est devenue un enjeu géostratégique majeur entre alliés. Les Américains ont porté la redevance annuelle pour l'utilisation de leurs installations de 38 à 68 millions de dollars, et la France, sans le sou, n'arrive pas à suivre. Jusqu'à leur arrivée en 2002, l'État français stationnait ses troupes gratuitement, et la consommation des militaires et de leurs familles constituait sa seule contribution à l'économie locale. Mais l'ancien camp Lemonnier de la Légion étrangère a été repris par les Américains. Djibouti est désormais le dernier État africain dont la France assure en grande partie la défense. Et s'il n'y avait que les Américains ! On croise également à Djibouti des soldats italiens, britanniques, allemands et japonais. Il y a peu, c'est la puissante Chine qui a débarqué, avec, outre sa présence militaire, de grandes ambitions en matière d'infrastructures : ports, aéroports, lignes ferroviaires…

Sur le reste du continent, donc, la présence tricolore a été restreinte à la zone sahélo-saharienne. L'objectif prioritaire du « gendarme de l'Afrique » n'est plus la lutte anticommuniste, mais la « guerre au terrorisme », de la Mauritanie au Tchad, avec un crochet par le nord du Nigeria, où sévit Boko Haram. Dans le Sahara, cette stratégie est favorisée par les bonnes relations que le président français a toujours entretenues avec l'Algérie, où il a fait un stage pendant ses études à l'ENA. Jusqu'à présent, en vertu d'une « diplomatie hôtelière » très répandue, les élites politiques françaises étaient davantage tournées vers le Maroc, qui sait les recevoir dans ses somptueux palais. Les liens tissés entre François Hollande et les cercles du pouvoir algérien, sous Abdelaziz Bouteflika, sont une nouveauté. En échange de ce soutien affiché, le président Bouteflika, très malade, a autorisé une forme de coopération opaque et officieuse entre les forces de sécurité des deux pays à la frontière du Mali. Depuis l'indépendance, Alger ne tolérait aucune présence militaire française dans cette zone du Sahara, que les généraux algériens appellent leur « profondeur stratégique ». Mais Alger et Paris ont désormais un ennemi commun : les djihadistes, qui opèrent à partir de la Libye. Sur le plan politique, grâce à la reprise en main par l'Algérie des discussions qui ont conduit à la signature, le 20 juin 2015, d'un accord de paix entre les groupes armés touaregs de l'Azawad – qui réclament l'indépendance de ce territoire presque exclusivement désertique au nord du Mali – et le gouvernement de Bamako, la France n'est plus en première ligne et s'en porte bien.

Cette « entente cordiale » n'est toutefois pas une garantie de paix à long terme dans la région. Malgré les succès de l'armée française, qui pourchasse et élimine un à un les chefs djihadistes dans plusieurs pays du Sahel, n'est-il pas un peu présomptueux de la part du chef de guerre de l'Élysée de prétendre contrôler un espace de 5 millions de km^2 avec les 3 000 hommes de l'opération Barkhane, alors que 150 000 soldats américains n'ont pas réussi à venir à bout de leurs ennemis en Afghanistan, où ils étaient dispersés sur « seulement » 600 000 km^2 ? Les militaires eux-mêmes ne cessent de répéter que, sans un accord politique solide entre le pouvoir à Bamako et les mouvements irrédentistes du Nord, ils sont là pour mille ans. Sans même parler de deux autres écueils : le manque de coordination entre le Maroc et l'Algérie dans la lutte antiterroriste et l'implosion de la Libye...

Les Africains ne se gênent pas pour rappeler aux Occidentaux qu'ils les ont mis en garde il y a bien longtemps au sujet du caractère tribal du régime de Kadhafi et du risque d'effondrement d'un État sans institutions. Le chaos libyen a achevé de déstabiliser une région où régnait un équilibre précaire entre le « grand frère » algérien, qui assurait un semblant de sécurité aux frontières, et le colonel Kadhafi, autoproclamé « roi des rois africains » et qui pratiquait la diplomatie de la valise de billets pour conforter son influence chez ses voisins d'Afrique subsaharienne.

Pour les Africains, le « général Hollande », à travers les opérations Serval puis Barkhane, tente de corriger en partie les erreurs d'appréciation de son prédécesseur Nicolas Sarkozy, grand initiateur de l'opération franco-britannico-américaine Harmattan en mars 2011. Cette opération, en provoquant la chute du régime et l'assassinat du colonel Kadhafi, avait largement outrepassé les limites de la résolution 1973 des Nations unies, laquelle, votée le 17 mars

2011 par 10 voix pour et 5 abstentions (Allemagne, Brésil, Chine, fédération de Russie et Inde), prévoyait uniquement la protection des populations de Benghazi par un contrôle de l'espace aérien. Au sein de la Ligue arabe, seul le Liban a suivi Nicolas Sarkozy. En effet, les chiites libanais n'ont jamais pardonné au colonel Kadhafi la disparition du charismatique imam Sadr, à Tripoli, le 31 août 1978.

Herman J. Cohen, ancien sous-secrétaire américain resté très « africain » en tant que lobbyiste sur le continent, pose un diagnostic sévère sur toute l'entreprise : « Ce sont les Africains qui avaient raison et nous aurions dû les écouter. L'Amérique et la France ont fait le mauvais choix. Il fallait envoyer des forces spéciales pour protéger les populations à Benghazi et maintenir une zone d'exclusion aérienne au-dessus de la Libye sans avoir à éliminer Kadhafi aussi brutalement. Avec toutes les conséquences que l'on sait aujourd'hui [1]. »

Pourquoi toutes les interventions militaires françaises en Afrique, une fois revisitées, paraissent-elles si anachroniques et souvent aussi meurtrières qu'inutiles ? Malgré les discours et un demi-siècle de formation des armées africaines, la France demeure seule au front dans toutes les configurations : elle a été pseudo-humanitaire au Biafra, tragi-comique en Centrafrique sous Bokassa Ier, dramatique avec le

1. Interview dans *Le Magazine de l'Afrique*, octobre-novembre 2015.

génocide du Rwanda, pathétique en Côte d'Ivoire, même sous mandat des Nations unies, inconséquente en Libye, désespérément seule au Mali... Et c'est toujours la présomption de connaître la situation et les hommes qui la pousse à la faute.

Chapitre 2

Arrogant comme… nos hommes d'affaires en Chinafrique

Les responsables d'entreprises françaises en Afrique ont-ils compris, au début des années 1990, que la fin de la guerre froide allait profondément bouleverser leur rente de situation sur ce continent ? Pas vraiment. Ils avaient trop longtemps vécu sous cloche dans l'espace protégé des anciennes colonies, développant leurs affaires avec l'aide d'institutions comme l'Agence française de développement (AFD), donc du contribuable français. Pour les matières premières stratégiques, comme le pétrole et l'uranium, des clauses secrètes signées avec les dirigeants africains garantissaient à la France un monopole de fait. Aucune concurrence étrangère. Les chefs d'entreprise géraient directement leurs contrats avec les présidences africaines et leurs ministères, où s'activaient mille et un conseillers français. C'était un peu la « Grande France en Afrique ». Un environnement politique, diplomatique, économique et surtout financier exceptionnel.

Quand ils ont vu que des concurrents commençaient à planter leurs banderilles, les entrepreneurs français ont cru qu'ils resteraient incontournables. Grossière erreur. Leurs parts de marché s'effondrent dans le secteur du BTP, fleuron de l'industrie française sur le continent, qui « passe à l'ennemi » (principalement asiatique : Chine, Corée du Sud, Inde...). Areva, après des années de résistance, offre ses gisements d'uranium africains à l'empire du Milieu. Les seuls groupes français qui survivent plutôt bien sur ce grand marché de demain sont ceux dirigés par des pater familias, *à l'africaine : Vincent Bolloré, Martin Bouygues ou Pierre Castel. Pour une raison simple : ils connaissent aussi bien les décideurs africains les plus influents que les cercles du pouvoir en France.*

« Je donnerai Imouraren aux Chinois »

Le 27 mars 2009, sur le trajet retour d'un déplacement de quarante-huit heures dans les deux Congos (Kinshasa et Brazzaville), Nicolas Sarkozy est obligé de s'arrêter quelques heures à Niamey, au Niger. On est vendredi, il fait horriblement chaud. Le président, qui n'a qu'une envie, retrouver sa petite famille à Paris, est de mauvaise humeur et la manifeste. Il n'a accepté de céder au chantage du président nigérien d'alors, Mamadou Tandja, que sur l'insistance de ses militaires. Il en va de l'avenir du nouveau gisement d'uranium d'Imouraren, exploité par Areva mais convoité par la Chine.

« Pas de voyage, pas de gisement. Je donnerai Imouraren aux Chinois », répète à l'envi le président nigérien à tous les interlocuteurs français qu'il juge à même de relayer sa demande auprès de l'Élysée. Tandja ne plaisante pas. Les Français savent qu'il a déjà pris langue avec la China National Nuclear Corporation (CNNC) par l'intermédiaire de son fils, Ousmane Tandja, dit Gober, attaché commercial à l'ambassade du Niger à Hong Kong. Et plusieurs groupes chinois, dont la CNNC, ont déjà pris des permis près d'Arlit, tout autour des concessions d'Areva.

Imouraren, l'un des principaux gisements découverts par le commissariat à l'Énergie atomique (CEA) dans les années 1960, est la deuxième mine du monde pour ses réserves prouvées : 80 000 tonnes. Areva s'est engagée à l'exploiter au rythme de 5 000 tonnes par an pour un investissement de plus de un milliard d'euros. Au moins quarante ans de bonheur ! Le gisement doit compenser les productions déclinantes de ceux d'Arlit et d'Akouta, déjà exploités par le groupe français dans le nord du pays. Et cet uranium n'est pas seulement le combustible promis par Areva à ses acheteurs de centrales nucléaires : depuis les Indépendances, l'uranium enrichi du feu nucléaire français repose principalement sur l'uranium nigérien. La puissance nucléaire française est encore africaine !

Pour tenter d'échapper à cette visite forcée au Niger, Nicolas Sarkozy, quelques semaines auparavant, a envoyé son conseiller Afrique, Bruno Joubert. Le diplomate a sorti de son attaché-case un éventail de propositions nouvelles : 23 millions d'euros de royalties, une augmentation de 50 % du prix des enlèvements de *yellowcake* – le concentré d'uranium de couleur jaune enrichi pour produire du combustible à destination des réacteurs nucléaires –, la mise à la disposition de l'État nigérien de 900 tonnes d'oxyde d'uranium… Mamadou Tandja a dit merci, mais n'a pas changé d'avis. S'il veut voir Nicolas Sarkozy fouler son sol, c'est parce qu'il a une autre idée derrière la tête : le président nigérien voudrait prolonger son mandat présidentiel de trois ans, ce que ne lui permet pas la Constitution nigérienne.

Bien qu'adoubé du bout des lèvres par Nicolas Sarkozy, Tandja sera renversé un an plus tard, le 18 février 2010, par un coup d'État piloté par le chef d'escadron Salou Djibo. Une nouvelle preuve que Paris n'est plus faiseur de rois en Afrique. Djibo cédera ensuite la place à Mahamadou Issoufou, élu le 7 avril 2011.

Entre-temps, la perspective d'une exploitation d'Imouraren s'est évanouie. Le 16 septembre 2010, sept Français travaillant pour Areva et Vinci sont enlevés à Arlit par un groupe se réclamant d'al-Qaida au Maghreb islamique (AQMI)[1]. Le site sera désormais gardé par les forces spéciales françaises. Le 11 mars 2011, l'accident nucléaire de Fukushima, au

1. Ils seront tous libérés le 23 octobre 2013 après une médiation de Mohamed Akotey, un proche du président Mahamadou Issoufou.

Japon, met un coup d'arrêt aux projets de nouvelles centrales dans plusieurs pays. Les cours de l'uranium plongent. D'abord prévue pour 2012, l'exploitation d'Imouraren est reportée à 2014, puis à 2016, puis *sine die*. Mais c'est bien en mars 2015 que trois quarts des 230 salariés du site ont reçu une lettre de licenciement. Seule une quarantaine d'entre eux resteront sur place pour assurer le gardiennage et la maintenance.

Si Areva n'est pas responsable de la chute des cours de l'uranium, l'arrogance de ses dirigeants, déterminés à refuser toute alliance avec les groupes chinois en Afrique, en particulier au Niger, était suicidaire. « Entre 2005 et 2010, Areva a raté une opportunité stratégique avec la Chine. Au lieu de chercher à protéger ses technologies – que, de toute façon, les Chinois auront un jour –, elle aurait dû négocier un *joint-venture* 51 %-49 % avec transfert de technologie. Elle se serait ainsi construit un avenir puissant en Chine pour les cinquante prochaines années », analysait en juin 2015 un acteur impliqué dans la guerre franco-chinoise autour de l'uranium nigérien. Il faut noter aussi qu'une partie des activités nucléaires d'Areva dans le monde a été reprise par le frère ennemi de toujours, EDF.

Le coup de grâce tombe le 3 novembre 2015. À l'occasion de sa visite à Pékin, le président François Hollande déclare : « Une prise de participation chinoise dans Areva est assez légitime. » Un protocole d'accord est signé entre le groupe français et la CNNC qui prévoit une coopération couvrant l'ensemble des activités du cycle de l'uranium, y compris… les mines ! L'ultime sursaut d'Areva n'aura donc pas suffi : le 8 août 2015, le groupe avait annoncé le lancement d'un site Internet en chinois/mandarin pour « renforcer sa position de partenaire clé du développement du nucléaire chinois, que ce soit au travers de coentreprises ou d'accords particuliers »…

Esprit de Confucius, es-tu là ? Une chose est sûre, il plane déjà boulevard des Invalides, dans le VIIe arrondissement de Paris, au-dessus de l'hôtel de Montesquiou. Cet hôtel particulier au charme suranné, qui a longtemps abrité le ministère de la Coopération – surnommé le « ministère de l'Afrique » –, a été racheté à l'État français par la République populaire de Chine en 2010 grâce à un intermédiaire russe. Pékin va y installer sa chancellerie. Plusieurs entreprises chinoises sont déjà actives sur le chantier aux côtés du groupe français Campenon Bernard, qui a obtenu le contrat d'entreprise générale. Le « ministère de l'Afrique » occupé par la Chine : tout un symbole…

Un patronat endormi dans son pré carré

À l'instar d'Areva, d'autres entreprises françaises qui ont vécu paresseusement la période de la guerre froide sur des marchés africains non concurrentiels, négociés de gré à gré dans les palais présidentiels, perdent pied dans l'Afrique mondialisée. Comme on l'a vu, maints rapports de députés et de sénateurs rendus publics en 2014 et 2015 pointent du doigt l'aveuglement de dirigeants qui se croient irremplaçables. Le député socialiste de Saône-et-Loire Philippe Baumel constate ainsi : « La France perd effectivement des parts de marché en Afrique subsaharienne au profit des émergents les plus importants que sont la Chine et l'Inde, mais aussi d'autres pays : le Brésil, la Turquie, la Malaisie, l'Iran, les États-Unis et bien d'autres. Sur l'ensemble de l'Afrique subsaharienne, la Chine fait désormais jeu égal avec la France dans les quatorze pays de la zone franc[1]. »

Une analyse que relativise le Conseil français des investisseurs en Afrique (CIAN), lobby des entreprises françaises implantées sur le continent, par la voix de son président délégué, Étienne Giros, ancien dirigeant du groupe Bolloré : « La part de marché de la France en Afrique a été divisée par deux au cours de la dernière décennie, passant de 11 % à 5,5 %. Dans ce sens, il s'agit indéniablement d'une baisse qui a surtout profité aux pays émergents, notamment la Chine. En revanche, le chiffre d'affaires des entreprises françaises sur le continent, lui, a doublé. Cela est dû à la taille du marché africain, qui a été multipliée par quatre[2]. »

Demeure une question taboue : combien de temps les entreprises du CIAN vont-elles rester des entreprises tricolores ? Outre le rachat par la Chine

1. *La Stabilité et le développement de l'Afrique francophone*, rapport d'information présenté par Jean-Claude Guibal (UMP) et Philippe Baumel (PS, rapporteur), mai 2015.
2. *Le Monde*, 27 janvier 2015.

des locaux de l'ancien ministère de la Coopération, symbole institutionnel, un autre symbole, très peu commenté, a traumatisé les milieux d'affaires français en Afrique en 2012 : la reprise par Toyota du groupe CFAO, le plus vieux comptoir de la France en Afrique. Créée en 1887, la Compagnie française de l'Afrique occidentale, spécialisée dans l'automobile et la pharmacie, appartenait à Pinault (groupe Kering), dont elle a longtemps représenté la pépite cachée africaine. Si elle est toujours membre du si français CIAN, et toujours dirigée par l'ancienne équipe, la CFAO est bien aujourd'hui contrôlée à 100 % par l'empire du Soleil-Levant. Pour preuve : l'ambassadeur du Japon à Paris appelle chaque semaine le siège du groupe à Puteaux pour savoir comment vont les affaires…

Sensibilisé à ce nouveau paradoxe français en Afrique – une armée sur le pont et des affaires à la dérive –, François Hollande s'est transformé en coach du business tricolore. Le 6 février 2015, dans le centre de conférences Pierre Mendès France, au ministère de l'Économie et des Finances, il a présidé un Forum franco-africain pour une croissance partagée et a promis, pour remobiliser les troupes, de nouvelles aides financières. Un parrainage aussi réconfortant qu'inutile. « On vous aime bien, mais maintenant il y a des appels d'offres », a déclaré en substance le président ivoirien Alassane Ouattara au cours de cette réunion. Une pierre dans le jardin français jetée par celui-là même qui a bénéficié d'un vigoureux coup de main de l'armée française pour accéder au pouvoir le 6 mai

2011. Quant à la ministre nigériane des Finances, Ngozi Okonjo-Iweala, elle a souligné le manque de réactivité des entreprises françaises sans « parachute politique ».

La politique, c'est justement le métier de François Hollande. Comme tous ses prédécesseurs, il n'hésite pas à pousser, parfois un peu trop loin, les dossiers qui lui tiennent à cœur. Le chef de l'État suit ainsi attentivement le conflit qui oppose, au Sénégal, la Sococim, filiale du groupe cimentier français Vicat, à Dangote Cement, propriété du milliardaire nigérian Aliko Dangote. Vicat, qui contrôle 65 % du marché sénégalais du ciment, reproche à Dangote, qui a lancé une nouvelle cimenterie, de ne pas respecter les réglementations fiscales, sociales et environnementales. Après avoir évoqué cette affaire à plusieurs reprises avec le président sénégalais Macky Sall, avec lequel il entretient les meilleures relations, François Hollande a convié, le 17 janvier 2014, les dirigeants de Vicat (Jacques Merceron-Vicat, président, et Guy Sidos, directeur général) à rencontrer Emmanuel Macron, alors chargé des questions économiques à l'Élysée. L'avocat de Vicat, Thierry Auriol, suivait l'entretien depuis Dakar par vidéoconférence. François Hollande a présenté aux responsables de Vicat une ébauche de lettre rédigée par sa conseillère Afrique et destinée à sensibiliser Macky Sall aux difficultés que connaîtrait le groupe français si Dangote lançait son projet[1]. Une telle sollicitude ne s'explique pas seulement

1. *La Lettre du continent*, 29 janvier 2014.

par la volonté de soutenir une entreprise française confrontée à une concurrence africaine « virile » : il faut rappeler que, le 30 juin 2011, les dirigeants de Vicat avaient chaleureusement accueilli dans leur fief de L'Isle-d'Abeau (Isère) celui qui n'était alors qu'un *outsider* dans la primaire socialiste pour la présidentielle de 2012.

Signe du désarroi français face aux ambitions de ces « tycoons » africains, le rapport Védrine, tout en avançant quinze propositions pour créer une nouvelle dynamique économique entre l'Afrique et la France, encense Aliko Dangote, qui « vient d'investir 3 milliards de dollars pour la construction d'une raffinerie, d'une usine d'engrais et d'installations pétrochimiques, affirmant ainsi qu'il est plus rentable de raffiner le pétrole et le gaz sur place que d'importer des produits pétroliers[1] ». Alors, Dangote, voyou ou visionnaire ?

Bolloré, Bouygues, Castel : le trio des condottieri

Il existe cependant trois tontons flingueurs qui savent aussi bien se débrouiller avec l'appui politique de l'Élysée qu'avec leurs propres réseaux africains. Il s'agit de la puissante « BBC à la française » : Bolloré, Bouygues, Castel. Bien sûr, Nicolas Sarkozy s'était

1. *Un partenariat pour l'avenir*, rapport rédigé par Hubert Védrine, Lionel Zinsou, Tidjane Thiam, Jean-Michel Severino et Hakim El Karoui, à la demande de Pierre Moscovici, alors ministre de l'Économie et des Finances, mars 2014.

rendu au Congo-Brazzaville, le 26 mars 2009, pour fêter la concession attribuée à Vincent Bolloré pour l'exploitation du nouveau terminal de Pointe-Noire. Bien sûr, François Hollande était aux côtés du président Alassane Ouattara en 2014 pour vanter les mérites du troisième pont construit par Bouygues sur la lagune Ébrié. Bien sûr, Pierre Castel, aussi discret que puissant, est de tous les voyages de présidents français en Angola, où il est devenu le principal brasseur. Mais, à la différence de leurs homologues, ces trois entrepreneurs familiaux font fructifier leur propre capital en Afrique et gèrent en direct leurs relations politiques avec les nomenklaturas locales.

Le plus « aventurier » est sans conteste Vincent Bolloré. Depuis plus de vingt ans, il s'attaque en Afrique à tous les secteurs à forte valeur ajoutée, de préférence ceux en situation de quasi-monopole. Seule limite : aucune de ses activités ne doit ternir son image, et sur ce point il est d'une vigilance sans faille. Vincent Bolloré a ainsi cédé ses usines de cigarettes à son principal concurrent, le groupe britannique Imperial Tobacco, en 2001, avant que la lutte anti-tabac ne devienne internationale. De même, dès les premières campagnes d'ONG environnementales, il a liquidé ses sociétés forestières.

Dans tous les autres secteurs, c'est bien lui, le Petit Chaperon rouge breton, qui croque les grands-mères. Car, surnommé il y a quelques années par la presse économique le « Petit Prince du cash-flow », Vincent Bolloré dégage de substantielles plus-values à chaque cession d'actifs. En 1988, il prend une participation dans le groupe Rivaud, l'un des plus anciens comptoirs du continent, avec des plantations de palmiers à huile, d'hévéas, de forêts... Il est chouchouté comme un premier communiant par les deux patrons du groupe, le comte Jean de Beaumont et son gendre, le comte Édouard de Ribes. Président du cercle de l'Union interalliée et président sortant du Comité olympique international, Jean de Beaumont introduit le jeune Bolloré dans l'*establishment* financier français avec le parrainage de la banque Lazard. Résultat : en 1996, Vincent Bolloré s'empare de Rivaud, à la consternation de Jean de Ribes, héritier putatif. Ce raid lui offre un droit de regard politique et stratégique de premier ordre dans la cour des grands. En effet, Rivaud, c'est aussi la banque qui gère dans l'ombre tous les petits secrets du RPR, l'ancêtre des Républicains. Certains barons gaullistes y détiennent même leurs comptes personnels.

Avant de récupérer ce qu'il y a de plus rentable chez les papys de Rivaud, le jeune Breton s'est attaqué, en 1991, à une autre statue du commandeur de la France en Afrique : Tristan Vieljeux. À la tête de la Compagnie maritime Delmas-Vieljeux depuis 1964, le vieil armateur est débarqué de son empire des mers, blessé dans son orgueil. Dès que l'activité maritime cessera d'être profitable, car trop concurrentielle, Bolloré la cédera à son principal concurrent sur les lignes Europe-Afrique et Asie-Afrique : la CMA CGM de Jacques Saadé.

Qui contrôle les ports contrôle l'Afrique ! Si personne n'a entendu Vincent Bolloré prononcer cette phrase, on peut penser qu'il est certainement un grand admirateur de Vauban et de ses places fortes. Concessionnaire pour des décennies de la manutention, du transport et de la logistique de la plupart des grands ports d'Afrique, Bolloré pénètre désormais à l'intérieur du continent en construisant des voies ferrées et des ports francs pour les camions. En Afrique de l'Ouest, il compte bien siphonner toutes les matières premières agricoles et minières des pays de l'hinterland. Ainsi, son grand projet de 3 000 km de boucle ferroviaire entre Abidjan, en Côte d'Ivoire, et Cotonou, au Bénin, passe par les deux pays stratégiques que sont le Burkina Faso (et ses mines de manganèse) et le Niger (et ses mines d'uranium).

Patron d'Havas et actionnaire décideur de Vivendi, Vincent Bolloré séduit aussi à Paris des chefs d'État africains toujours soucieux de développer des réseaux d'influence dans l'ancienne métropole. Surtout, il les « traite » directement, les yeux dans les yeux. D'une discrétion légendaire, il ne fait d'ailleurs confiance qu'à lui-même. Ainsi, c'est en solo, au volant de sa Mercedes, qu'il se rend, le 2 juin 2010 en fin d'après-midi, à l'hôtel Pullman Tour Eiffel pour un entretien en tête à tête avec le président béninois Thomas Boni Yayi. Et c'est seul encore qu'il en ressort chargé de quatre cartons d'ananas[1].

Cinq ans plus tard, le 6 avril 2015, Vincent Bolloré inaugure à Cotonou, en compagnie du même Thomas Boni Yayi, la Bluezone de Zongo,

1. *La Lettre du continent*, 16 juin 2010.

fonctionnant à l'aide de panneaux photovoltaïques – « une électricité propre et gratuite dans des lieux non équipés de réseaux électriques », selon les termes du communiqué. Tout est bon pour améliorer l'image de « Bollo en Afrique ». Le lendemain, le nouveau « grand Blanc » du Far West africain est à Niamey, au Niger, au côté du président Mahamadou Issoufou qui pavoise dans une Bluesummer, le cabriolet 100 % électrique fabriqué par le groupe français.

Adoubé par les chefs d'État, Vincent Bolloré peut démarrer les chantiers avant que tous les papiers nécessaires soient signés, et ainsi évincer les concurrents importuns. Pour assurer l'intendance, sélectionner, puis gérer les partenaires africains, il dispose de deux hommes du renseignement discrets et très capés : Michel Roussin et Ange Mancini. Le premier, directeur de cabinet d'Alexandre de Marenches au SDECE (aujourd'hui DGSE) de 1977 à 1981, a été ministre de la Coopération en 1993-1994 et a conduit les missions du patronat français en Afrique pendant près d'une décennie. Le second, coordonnateur national du renseignement (CNR) auprès de l'Élysée de 2011 à 2013, a été auparavant chef du Service de coopération technique internationale de police (SCTIP), très actif en Afrique, en 1997-1998.

Martin Bouygues, qui a échappé en 1997 à un raid meurtrier de Vincent Bolloré destiné à avaler son groupe, est lui aussi directement « en politique » avec les autorités en Côte d'Ivoire. Il est même quasiment en famille avec le président Alassane Ouattara et son épouse, Dominique Folloroux-Ouattara. Ami du couple, il était présent à leur mariage à la mairie du XVIe arrondissement de Paris, le 24 août 1991. À cette époque, Ouattara était Premier ministre de Côte d'Ivoire, et c'est lui qui a signé les contrats de concession à Bouygues dans l'électricité. Si, depuis, Martin a revendu ses parts, il demeure à titre personnel très actif dans l'exploitation de gaz au large d'Abidjan avec son frère Olivier au sein d'une petite structure familiale : la SCDM.

Bouygues qui a livré en décembre 2014 un troisième pont sur la lagune Ébrié, est bien placé pour rester, au cours des prochaines décennies, l'un des principaux acteurs des travaux publics en Côte d'Ivoire, avec notamment la construction prévue d'un deuxième terminal à conteneurs et le développement du transport ferroviaire urbain. Fidèle entre les fidèles, Martin ne rate jamais un gala de la fondation Children for Africa, présidée par la Première Dame. Une belle illustration d'un passage de relais politique et familial réussi : Francis Bouygues, le fondateur du groupe, était déjà choyé par le président Félix Houphouët-Boigny, qui lui avait confié mille et un travaux à Yamoussoukro, son village natal devenu capitale politique…

Si le troisième « Africain » du patronat français, Pierre Castel, est plus discret et moins familier avec les dirigeants africains, il est tout aussi puissant et influent. Huitième fortune française, Pierre Castel a démarré en Afrique dans les années 1950 en vendant quelques citernes de vin ordinaire. En 1965, à la suite de sa rencontre déterminante avec le futur président gabonais Omar Bongo, il crée sa première brasserie. Il investit ensuite au Cameroun voisin, faisant de la Société anonyme des brasseries du Cameroun (SABC) la première industrie du pays. En 1990, en reprenant les Brasseries et glacières d'Indochine (BGI), il devient le numéro deux des bières et boissons gazeuses en Afrique.

Résident suisse, Pierre Castel n'a pas la pudeur d'un Vincent Bolloré ou d'un Martin Bouygues quand il évoque ses affaires et ses relations avec les chefs d'État sur le continent africain. En 2014, dans l'une de ses rares interviews, il confie : « L'Afrique est toute ma vie. J'ai vite compris le potentiel de ces pays neufs. Ce que j'ai acheté en France, je l'ai eu grâce à l'Afrique. » Il ne cache ni sa position dominante – « Le rachat de BGI en 1990 a été déterminant. [...] Nous avons acquis des positions dominantes et depuis nous les défendons » – ni les liens qu'il a tissés avec les chefs d'État – « Je les connais tous, ça aide. Les Africains sont reconnaissants quand vous les soutenez. Aucun ne m'a trompé[1]. »

Affirmant que, pendant la guerre d'Indépendance en Angola, il a tenté de « pousser les Portugais et les partis angolais à négocier, sans succès[2] », Pierre Castel a également joué, dans l'ombre, un rôle dans l'arrivée au pouvoir en Centrafrique de François Bozizé en mars 2003. En échange de son soutien, il a obtenu que ses hommes remplacent les douaniers locaux pour

1. *Challenges*, 11 juillet 2014.
2. *Ibid.*

lutter contre les contrebandiers qui menacent son empire du sucre dans la région. Car Castel contrôle aussi les sucreries à travers le groupe Somdiaa, dont le P-DG, Alexandre Vilgrain, est le président du CIAN, le club des investisseurs en Afrique…

Bolloré, Bouygues, Castel : la réussite de ces trois *pater familias* illustre bien à quel point les affaires françaises en Afrique restent inscrites dans le registre du politique. Malgré toutes les sollicitations, les PME françaises n'ont ni l'envie ni les moyens (financiers et humains) d'affronter un marché africain désormais ultraconcurrentiel. Et les grands groupes leur font rarement la courte échelle. Au sein du lobby franco-africain du CIAN, chacun défend farouchement ses plates-bandes. Et les nouvelles générations d'entrepreneurs africains préfèrent faire affaire avec des homologues asiatiques, dépourvus de toute tentation paternaliste, que de continuer à subir les réseaux français de leurs propres « anciens ».

Chapitre 3

Arrogant comme… nos conseillers et professeurs dans leur tour d'ivoire

Qui n'a pas connu Abidjan dans les années 1980, avec les cinquante mille Français qui y vivaient comme chez eux, tombera des nues en lisant ce chapitre. L'argent du cacao, dont la Côte d'Ivoire est le premier producteur mondial, coulait à flots, et les ministres ivoiriens fêtaient au champagne leurs milliards de francs CFA. Premier chef d'État de la Côte d'Ivoire, Félix Houphouët-Boigny avait confié la gestion administrative de sa présidence à d'anciens préfets et gouverneurs français; en revanche, c'est avec ses propres émissaires africains qu'il s'occupait de ses relations avec les chefs de village, les grandes familles du pays, les leaders ethniques et religieux, ainsi que de ses problèmes domestiques et de son réseau clientéliste local. Chaque ministre agissait de la sorte.

De leur côté, les coopérants enseignants français reproduisaient ce qu'ils avaient eux-mêmes appris : l'histoire et la culture françaises, avec leurs grands auteurs. Les plus brillants de leurs élèves africains ont ainsi grandi dans une schizophrénie dont ils souffrent encore aujourd'hui. En France, il aura fallu attendre près de deux décennies après la fin de la guerre froide pour que l'histoire de l'Afrique puisse être enseignée sans provoquer de crispation. Depuis 2011, Sciences Po Paris a un programme Europe-Afrique et une Association de Sciences Po pour l'Afrique. L'école supérieure de commerce HEC a également lancé un programme en Afrique, proposant des formations tant pour la fonction publique que pour la gestion en entreprise. Au moins, cela épargne aux étudiants africains de lanterner dans l'attente d'un hypothétique visa pour la France.

« *On attend vos conseillers français, Monsieur le Ministre !* »

En ce 12 avril 2002, j'ai rendez-vous avec Paul Antoine Bohoun Bouabré [1], le ministre ivoirien de l'Économie et des Finances, dans sa suite de l'hôtel Marriott, à Neuilly-sur-Seine. Quand il m'ouvre la porte, je reste interdit : lui que j'ai toujours vu en

1. Paul Antoine Bohoun Bouabré s'est exilé en Israël lorsque le président Alassane Dramane Ouattara est arrivé au pouvoir en 2011. Il est mort d'une grave insuffisance rénale dans un hôpital de Jérusalem le 11 janvier 2012.

costume-cravate porte une veste et une chemise en soie imprimée de motifs jungle aux couleurs criardes. « Entrez, entrez ! » me presse-t-il en m'indiquant d'un geste autoritaire le canapé où je dois m'asseoir. Lui reste debout.

Présent en France pour une réunion des créanciers du Club de Paris, le grand argentier ivoirien se lance immédiatement dans une vive critique des informations publiées par *La Lettre du continent*, une publication spécialisée sur l'Afrique dont j'étais à cette date le rédacteur en chef. Fasciné par les yeux verts des léopards imprimés sur sa chemise, je le laisse terminer sa diatribe, récurrente chez les personnalités africaines au pouvoir. Les « hauts d'en haut » de Côte d'Ivoire ont toujours été agacés par la liberté éditoriale dont jouit ce périodique publié à Paris et sur lequel ils n'ont pas de prise, contrairement à la presse de leur pays.

Bohoun Bouabré est intarissable. Son ton se fait même acerbe lorsqu'il parle de « ces Blancs donneurs de leçons ». Moi qui suis venu à la demande de l'un de ses conseillers, je commence à regretter ma décision. En l'écoutant, je pense à mon ami et confrère Guy-André Kieffer, qui vient de s'installer à Abidjan. Il a traversé le miroir pour devenir le conseiller en communication d'un consortium d'experts indépendants. Je me rends compte que son séjour risque de ne pas être une partie de plaisir. Il est parti très enthousiaste à l'idée de participer à la réforme de la filière cacao, principal produit de rente et d'exportation de la Côte d'Ivoire, et persuadé d'avoir le soutien du président Laurent Gbagbo. Mais « GAK », comme on le surnomme, a sans doute sous-estimé l'état d'esprit « indépendantiste » des barons du nouveau régime ivoirien, au pouvoir depuis octobre 2000. Les conseillers étrangers ne sont plus les bienvenus, surtout ceux de l'ancienne métropole [1].

Les propos de Paul Antoine Bohoun Bouabré m'en offrent aujourd'hui une parfaite illustration : « Pour bien vous faire comprendre que les temps ont changé dans nos rapports avec la France et les Français, je vais vous raconter une petite anecdote. Le jour de la réunion du Club de Paris concernant mon pays, à Bercy, je m'installe devant le micro, après avoir salué les hauts fonctionnaires français et les quelques banquiers présents. Je dois être le premier à prendre la parole. Dix minutes, un quart d'heure passent... Personne ne bronche. Je demande : "Qu'est-ce qui se passe ? On démarre ? — Mais, Monsieur le Ministre, on attend vos conseillers français", me répond timidement l'un des responsables du Trésor. Je lui rétorque : "Je n'ai pas de conseillers français, moi, je suis capable d'intervenir tout seul !" C'est vrai que je me suis

1. Guy-André Kieffer sera enlevé et assassiné deux ans plus tard, le 16 avril 2004. Son corps n'a pas été retrouvé à ce jour, pas plus que les responsables de sa disparition. Le juge français Patrick Ramaël a raconté les clairs-obscurs de son enquête en Côte d'Ivoire dans *Hors procédure. Dans la tête d'un juge d'instruction* (Calmann-Lévy, 2015). Après de nouvelles pressions du frère du journaliste, Bernard Kieffer (auteur du livre *Le Frère perdu*, La Découverte, 2015), et de l'ONG Reporters sans frontières, le ministre ivoirien de la Justice, Gnenema Mamadou Coulibaly, a annoncé le 3 juillet 2014 la « reprise des auditions »...

enflammé... », se remémore-t-il, prenant conscience qu'il a haussé le ton en revivant la scène devant moi.

Cette entrée en matière permet au ministre ivoirien de se lancer dans une dénonciation du régime de l'ancien chef de l'État, Henri Konan Bédié. Celui-ci, renversé par un coup d'État en décembre 1999, gérait l'économie du pays comme son prédécesseur et mentor Félix Houphouët-Boigny : avec ses conseillers français. Un choix politique et financier aussi confortable pour les dirigeants ivoiriens que pour leurs homologues français, dont les assistants techniques et autres experts régnaient ainsi à tous les étages du pouvoir et de l'administration ivoiriens.

De belles âmes dans de belles villas

À l'époque dont parle Bohoun Bouabré, des centaines de professeurs français enseignaient dans les collèges et universités de Côte d'Ivoire tout comme ils auraient pu le faire dans l'Hexagone. Cela s'appelait la « coopération » ou encore l'« assistance technique de substitution » – comprendre : des professeurs français qui gagnent des francs CFA à la place des enseignants africains. Même si les coopérants étaient souvent de belles âmes, ils n'habitaient pas dans les quartiers des Africains, mais plutôt entre eux, dans le quartier résidentiel de Cocody avec ses belles maisons.

En 1980, quand plus de cinquante mille Français étaient encore présents en Côte d'Ivoire, Abidjan méritait bien son surnom de « village gaulois ». Serge

Michailof, l'un des grands « développeurs » au long cours de la France en Afrique, aujourd'hui au ponant de sa vie professionnelle, est d'une lucidité désarmante sur cette période : « Parmi les sujets d'étonnement de tout visiteur en Côte d'Ivoire à cette époque, la place excessive voire totalement déraisonnable prise par des assistants techniques français, des petits entrepreneurs français, des ouvriers spécialisés français, était finalement une source de profond malaise. Participant au début des années 1980 en tant que représentant de l'AFD [Agence française de développement] à la négociation d'un cofinancement avec la Banque mondiale à Washington, je me trouvai face à une délégation ivoirienne exclusivement composée de coopérants français – que par ailleurs je connaissais bien –, à l'exception d'un chef de délégation qui n'assista qu'à l'ouverture, fort occupé qu'il était à faire ses courses. Il s'est trouvé que le chargé de négociation de la Banque mondiale était, lui, ghanéen, et j'ai vu son regard effaré lors de l'entrée de la délégation "ivoirienne". Il est vrai que le ministère du Plan était alors couramment appelé le "ministère du Blanc"[1]... »

En 1989, l'hypertrophie de la présence française dans l'enseignement et la formation en Afrique est encore taboue. Lorsque Jean-Claude Quirin, responsable de la Direction du développement au ministère de la Coopération, explique l'embarras qu'elle

1. Serge Michailof, *Africanistan. L'Afrique en crise va-t-elle se retrouver dans nos banlieues ?*, Fayard, 2015, p. 162.

suscite, c'est dans un document interne estampillé « CONFIDENTIEL » : « Nous disposons à l'heure actuelle d'environ cinq mille coopérants dans les systèmes éducatifs de l'Afrique subsaharienne, vingt-cinq fois plus que la Grande-Bretagne, les États-Unis ou l'Union soviétique, cinquante fois plus que le Canada, cent fois plus que le Maroc. Il faudrait y ajouter un millier de recrutés locaux (Gabon, Côte d'Ivoire, Sénégal). » De plus, « nos coopérants ne sont pas bien utilisés » et « notre assistance technique devient insupportable aux États », qui ne paient plus leur part ni des salaires des coopérants, ni de leur hébergement. Et on les comprend, puisque « nos assistants techniques "en substitution" coûtent en frais annexes sur le budget de l'État plus que le salaire du professeur national que nous avons formé[1] ».

Après des années pendant lesquelles la « grande France » a prétendu régir toute la formation dans ses anciennes colonies, la prise de conscience est cruelle pour les responsables de la coopération. « L'appui direct et individualisé aux universités africaines est aujourd'hui hors de notre portée et hors de raison », lâche même Jean-Claude Quirin, sans doute affolé par les ardoises que ne remboursent plus les États africains.

À Paris, c'est l'alerte rouge. On confie aux vigies du ministère de la Coopération, regroupées dans un Groupe de prospective Coopération et

1. Note du ministère de la Coopération et du Développement, Direction du développement, 11 avril 1989.

Développement, le soin d'évaluer la réalité de la coopération française dans le secteur de l'enseignement... en précisant bien que les conclusions du rapport n'engagent que leurs auteurs. Bonne idée : les experts ne mâcheront pas leurs mots.

Ainsi, dans un document ronéotypé de 1992 interne à l'administration [1], le professeur Philippe Hugon constate : « L'Afrique est paradoxalement surscolarisée en regard des capacités de financement locales et des structures de l'emploi. Les dépenses d'éducation représentent fréquemment plus du quart des dépenses budgétaires courantes, et, à même taux de scolarisation, l'effort financier relatif par rapport au PIB est près de dix fois supérieur en Afrique [à ce qu'il est] en Europe ! »

Plusieurs autres contributeurs lui emboîtent le pas et s'affranchissent de leur devoir de réserve – un acte courageux qui, à l'époque, pouvait vous reléguer dans un sombre cagibi universitaire. On lit par exemple : « Les systèmes éducatifs africains apparaissent exceptionnellement coûteux, d'autant plus coûteux que leurs performances sont à l'évidence d'une médiocrité inquiétante tant au plan quantitatif que qualitatif [...], écoles, lycées et universités s'apparentant plus à des garderies sous-équipées qu'à des lieux de formation. » Des garderies, peut-être, mais tricolores ! À quelques variantes près, l'architecture scolaire en Afrique est

1. Groupe de prospective Coopération et Développement du ministère de la Coopération et du Développement, *Les Crises économiques et financières en Afrique subsaharienne et les réorientations souhaitables des actions de la coopération française*, juin 1992.

calquée sur le modèle hexagonal, avec ses cycles traditionnels : primaire, secondaire et supérieur.

Dans les zones rurales, c'est encore pire : « Les enfants psalmodient en chœur dans l'"école française" un jargon qu'ils ne comprennent que très imparfaitement, véhiculant un contenu inadapté aux réalités locales. [...] Un fantastique gâchis d'énergie et de ressources dans un cadre général où les croyances, une idéologie généreuse mais déconnectée des contraintes financières et culturelles et les lobbies d'enseignants se combinent aux forces politiques pour paralyser ou entraver toute réforme significative. » Les auteurs du rapport proposent de « supprimer délibérément un certain nombre de filières de l'enseignement supérieur dont la qualité est déplorable et qui ne débouchent sur aucune perspective d'emplois (filières lettres, sciences humaines, droit, etc.) ».

L'inadéquation de l'« assistance technique de substitution » finit donc par être reconnue. Le 3 avril 1992, dans une note au nouveau ministre de la Coopération, Marcel Debarge, le directeur du développement, Jean-Claude Faure, annonce avec force pudeur et pédagogie qu'il est temps que les professeurs français regagnent l'Hexagone : « L'assistance technique, instrument bien adapté aux besoins des pays africains nouvellement indépendants lorsqu'il a été mis en place au début des années 1960, ne répond plus aussi bien, depuis le début des années 1980, aux nécessités. Les États bénéficiaires tardent à considérer que les effectifs d'assistants dont ils disposent appartiennent à leur propre fonction publique et qu'ils sont les seuls maîtres de leurs descriptions de poste et de leur emploi. Cette approche, justifiée lorsque l'essentiel de l'assistance technique était de pure "substitution" et alors que beaucoup de coopérants exerçaient des responsabilités directes jusqu'au plus haut niveau, est maintenant cause de rigidité, de sous-emploi et d'inadaptation. » Les trois mots sont lâchés.

Pourtant, on ne se préoccupe encore que de la superstructure de l'organisation administrative, sans parler du contenu de l'enseignement. Il faudra attendre les écrits de quelques intellectuels africains pour entrer dans le vif du sujet. L'écrivain Moussa Konaté, lui-même professeur, est de ceux-là. Dans *L'Afrique noire est-elle maudite ?*, il pourfend l'école occidentale, qui « fut sans doute le facteur le plus perturbant pour les sociétés africaines [...]. Pour les Noirs africains, ce fut le monde à l'envers ». Directeur de l'association Étonnants Voyageurs Afrique, Moussa Konaté, mort en 2013, était on ne peut mieux placé pour expliquer le hiatus scolaire franco-africain : « L'école africaine repose sur le message de l'ancêtre : en imposant ses modèles, l'école occidentale a, ni plus ni moins, remplacé autoritairement ce message par le sien. Quand on connaît le poids de l'ancêtre dans les sociétés noires africaines, on mesure le choc culturel et psychologique subi par les populations, et l'on comprend mieux la distance à laquelle les Noirs africains tiennent, aujourd'hui encore, l'acte d'écrire et le livre en général. Le temps a passé, et maintenant plus personne, en Afrique, ne niera l'intérêt du livre dans l'acquisition des savoirs – il a même, de ce point de vue, constitué un objet de fascination. Mais son image d'outil de déstructuration des sociétés africaines lui colle à la peau. Écrit en langues européennes, il sera toujours "la chose du Blanc"[1]. »

Omerta et nostalgie chez les « expats »

Justement, comment ces « Blancs » ont-ils vécu leur « mission civilisatrice » en Afrique ? Que sont-ils devenus ? Quel regard portent-ils sur leur toute-puissance de l'époque ? Dans leur grande majorité, les quatorze mille coopérants des « années France », dont plus de 70 % étaient des enseignants, ne s'expriment guère, même s'ils gardent des attaches personnelles avec les pays où ils étaient en poste. Toutefois, plus d'une décennie après leur retour en France, quelques-uns ont rouvert leur sacoche et décidé de s'épancher sur leur expérience africaine.

Dans l'un de ces rares écrits[2], Françoise Imbs, maître de conférences en géographie à l'université Paris-VII après avoir été coopérante au Burkina Faso et au Rwanda, explique : « Les coopérants ont conscience d'avoir beaucoup donné et beaucoup

1. Moussa Konaté, *L'Afrique noire est-elle maudite ?*, Fayard, 2000.

2. Odile Goerg et Françoise Raison-Jourde (dir.), « Les coopérants français en Afrique. Portrait de groupe (années 1950-1990) », *Cahiers Afrique* (L'Harmattan), n° 28, 2012.

reçu. Mais aujourd'hui, lorsqu'ils s'essaient à un bilan global des effets de leur action et de celle des politiques sur l'évolution et le devenir des populations africaines, la déception domine et le diagnostic est sévère. L'afro-optimisme n'est pas au rendez-vous des réflexions partagées. »

Les intéressés dénoncent souvent le décalage entre « les actions dites de développement initiées ou soutenues par la France et les besoins réels du pays ». Les actions étaient menées « au coup par coup, au gré des opportunités du moment, sans réflexion globale ». Les coopérants eux-mêmes vivaient en milieu fermé : « La non-ingérence dans les affaires du pays où ils enseignent est la loi. » Ceux qui tentaient d'être des relais, de faire remonter des informations sur la société civile ou les tensions ethniques dont ils avaient pu être les témoins étaient au mieux ignorés, au pis suspectés d'entretenir des relations coupables avec des opposants. Les ambassades exerçaient ainsi « une surveillance méfiante à l'égard des relations entre les coopérants et leur entourage africain ».

Une fois rentrés en France, ces coopérants « apparaissent comme des amoureux, déçus mais amoureux quand même ». Cependant, reconnaît Françoise Imbs, « plus fondamentalement, il faudrait interroger les Africains eux-mêmes, collègues des universités africaines, administrateurs ou chercheurs et, plus largement, tous ceux qui ont été amenés à côtoyer des coopérants au cours du séjour dans leur pays, élèves ou simples voisins. Leur regard est déterminant pour évaluer ce qu'aura été, pour l'Afrique, la participation des coopérants à son histoire».

Sa collègue Claude-Hélène Perrot, professeur à l'université Paris-I, avance un autre argument pour expliquer «l'omerta des enseignants sur leurs années de coopération»: elle serait «liée à la désillusion au terme de dix premières années d'attente utopique, où l'on croyait au développement rapide et à l'émergence de sociétés; elle peut aussi tenir, au contraire, à leurs implications au cœur des politiques locales souvent décriées aujourd'hui». Dans la masse des coopérants, il y avait en effet «une flopée de conseillers techniques constituant un État dans l'État et permettant ainsi aux responsables politiques locaux de se consacrer à leurs affaires personnelles».

Bien sûr, tous les professeurs et coopérants qui ont œuvré en Afrique n'étaient pas aveugles, mais la plupart étaient prisonniers du «système politique» de l'époque. C'est ce qu'ont compris depuis longtemps des chercheurs comme le géographe Georges Courade: «[Il] est important que nous prenions conscience que les Africains veulent maîtriser leurs affaires. À tous les niveaux (villages, chefferies), les populations souhaitent être autonomes. [...] L'Afrique a ses logiques propres, même si elles ne s'affichent pas, qu'il faut respecter. Quand vous, "Blanc", arrivez dans un village, tout le monde va vous dire "oui" à tout. Sauf que le "oui" ne veut pas dire "oui"! Je pourrais citer de nombreux exemples. Initier une action locale ciblant les femmes sans solliciter les hommes est ainsi une erreur. Une société communautaire a des règles différentes d'une société individualiste[1]. »

Bientôt un Tintin au Sahel *?*

Un demi-siècle après les Indépendances, les dizaines de professeurs et chercheurs de l'Institut des mondes africains (IMAF) s'emploient à revisiter l'histoire de l'Afrique des Africains. La vraie. Au sein de cette nouvelle génération d'étudiants qui se passionnent pour l'Afrique en mouvement, il est surprenant de trouver des enfants d'anciens expatriés, qu'ils aient été commerçants, coopérants ou militaires. Leurs parents ont souvent envoyé les aînés étudier aux États-Unis, mais les cadets ont repris le flambeau…

Une longue période de décantation de l'histoire africaine vue du haut de la tour Eiffel a été nécessaire pour qu'elle puisse enfin s'écrire *noir sur blanc*. Et, comme c'est le terrain qui commande les enseignements, le « retour du religieux » anime bien des jeunes doctorants. Des figures de djihadistes du XIXe siècle qui ont résisté aux « valeureux capitaines » de l'empire colonial, tels le Guinéen Samory Touré et le Soudanais Rabah, ressortent ainsi de l'oubli. Ne

1. Intervention de Georges Courade au colloque *Que peut faire la France en Afrique subsaharienne ?*, fondation Res Publica, 15 décembre 2014. Géographe, directeur honoraire de recherches de l'Institut de recherche pour le développement (IRD), Georges Courade a écrit *Les Afriques au défi du XXIe siècle* (Belin, 2014).

sont-ils pas les « pères spirituels » du leader nigérian de Boko Haram, Abubakar Shekau ? À l'idée que la colonisation n'aurait été qu'une parenthèse dans l'histoire africaine, le président ivoirien Félix Houphouët-Boigny, qui avait érigé la basilique de Yamoussoukro pour freiner la progression de l'islam dans son pays, doit se retourner dans son mausolée !

Signe de ce regain d'intérêt et de cette nouvelle lucidité, la publication en octobre 2015 de *L'Afrique pour les nuls* par le duo franco-nigérien Jean-Joseph Boillot et Rahmane Idrissa, un ouvrage dans lequel le chapitre « Empires et résistances au XIXe siècle » est trois fois plus long que celui sur les « Révolutions coloniales du XXe siècle »[1]. Il ne manque plus, pour parfaire la « remise à niveau » de nos professeurs, qu'un *Tintin au Sahel* d'une impartialité totale, vis-à-vis de l'ensemble des communautés africaines de ce vaste espace comme des nouveaux méharistes de l'armée française...

1. Jean-Joseph Boillot et Rahmane Idrissa, *L'Afrique pour les nuls*, First, 2015.

Chapitre 4

Arrogant comme… nos militaires en solo

Seule puissance étrangère à disposer de dix mille soldats répartis dans huit pays du continent, la France reste le gendarme de l'Afrique. Hier, c'était pour contrer l'influence de l'Union soviétique ; aujourd'hui, c'est pour lutter contre le terrorisme. Toujours au nom de la défense de l'Occident, en particulier de l'Europe. Sauf que l'Europe n'affiche aucune solidarité à l'égard de cet engagement, pas plus en hommes qu'en financement. C'est donc une Grande Muette atteignant les limites de ses capacités qui intervient en Afrique. Si l'opération Serval au Mali a été fêtée dans un premier temps, ce succès a servi à masquer l'échec de l'opération Sangaris en Centrafrique. La plupart des jeunes soldats français, mal préparés à cette plongée dans une guerre civile sanglante, en sont sortis traumatisés. Mais pourquoi, après des décennies de formation et d'encadrement des armées africaines, les paras tricolores sont-ils toujours les seuls gardiens de la sécurité sur le continent ? Et si cette « rente militaire » en Afrique était tout ce qui restait de la puissance de la France dans le monde ? Ce chapitre s'emploie à dévoiler les réalités du terrain occultées par la communication sophistiquée des autorités politiques et militaires.

Le traumatisme des jeunes banlieusards

Un soir de l'été 2014, je dîne avec quelques amis à la terrasse d'un restaurant thaï, dans une rue calme du XVIIe arrondissement de Paris. Nous parlons d'Afrique, plus particulièrement de la situation en Centrafrique. À la table voisine, une femme d'une cinquantaine d'années est installée face à une jeune fille. Grignotant des biscuits à apéritif, elles semblent attendre un troisième convive. Brusquement, la femme se tourne vers nous et explose : « Désolée d'interrompre votre conversation, mais si je puis me permettre, on ne dit pas la vérité sur la situation de nos soldats en Centrafrique. »

Sans reprendre son souffle, elle poursuit : « J'attends mon fils, qui est un tireur d'élite. Après le Mali, il a été quelques mois en Centrafrique. Il vient juste de rentrer à Paris et repart dans les prochains jours pour une nouvelle mission, cette fois-ci en Guyane. Comme j'ai entendu que certains d'entre vous sont journalistes, mon fils peut vous raconter ce qu'il a vraiment vécu à Bangui avec ses camarades. Tenez, justement, le voilà. »

Coupe de légionnaire, tatouages sur les bras et visage fermé, le garçon s'approche avec méfiance. Il nous regarde de travers, chuchote quelque chose à l'oreille de sa mère et s'éclipse immédiatement. « Excusez-le, reprend sa mère, gênée. Il a vécu des situations très dures en Centrafrique avec ses copains. Ils ont découvert un matin des cadavres d'enfants musulmans qu'ils connaissaient, tués par des miliciens. Plusieurs d'entre eux n'ont pas supporté. Ils n'étaient pas préparés à ça. En plus, pour ce qu'ils sont payés !... »

Le cas de la Centrafrique illustre parfaitement cette attitude de l'armée française qui croit encore connaître « son » Afrique sur le bout des doigts. Mobilisé par l'opération Serval au Mali contre les djihadistes – une initiative applaudie tant en Afrique qu'en Europe –, François Hollande ne voulait pas accréditer l'idée qu'il allait, comme au « bon vieux temps », voler au secours d'un régime autocratique en perdition. Il a commis l'erreur de tarder à intervenir, laissant la situation s'envenimer.

Le 12 décembre 2012, le président centrafricain François Bozizé tient un meeting devant ses partisans. En langue sango, il lance un appel à « nos cousins français et américains, qui sont des grandes puissances, à nous aider à repousser les rebelles sur leurs positions initiales ». François Hollande lui répond le même jour que la présence militaire française en Centrafrique n'est pas destinée à « protéger un régime » contre la progression d'une rébellion, mais à défendre les ressortissants et les intérêts français. Il faut rappeler que, dans le cadre de l'opération Boali, la France disposait depuis octobre 2002 de deux cent quarante soldats, notamment sur l'aéroport de Bangui, en soutien à une force multinationale africaine.

En mars 2013, François Bozizé est chassé du pouvoir par un regroupement de mouvements rebelles venus du nord et de l'est, baptisé Séléka (« Coalition » en sango) et à dominante musulmane. Ces mouvements se sont armés au Soudan voisin et ont prospéré pendant plus d'une décennie dans des zones en déshérence, totalement abandonnées par le pouvoir central. Par précaution, la France porte à cinq cents ses effectifs militaires à Bangui. Elle croit ainsi maîtriser la situation ; au contraire, celle-ci lui échappe déjà. Paris sous-estime l'extrême violence et la capacité de nuisance des milices chrétiennes anti-balaka[1], qui s'en prennent aux musulmans dans la capitale comme dans le reste du pays. Très vite, c'est le chaos.

François Hollande, à l'initiative d'un sommet sur la paix et la sécurité en Afrique qui se tient à l'Élysée les 6 et 7 décembre 2013, prend enfin la mesure du danger. L'annonce du déploiement « aussi longtemps que nécessaire » de mille six cents soldats français en Centrafrique afin de « désarmer toutes les milices et [tous les] groupes armés qui terrorisent les populations » marque le lancement de l'opération Sangaris. L'intervention française sera « rapide » et « efficace », précise le président. Le ministre des

1. Terme qui signifierait « anti-machettes » pour les uns, « anti-balles AK » – en référence aux fusils AK-47 – pour les autres.

Affaires étrangères, Laurent Fabius, s'exprimant le 17 décembre 2013 à l'Assemblée nationale, affirme : « Nous n'avons pas l'intention de dépasser ce nombre [de 1 600]. » Quelques semaines plus tard, l'effectif est pourtant porté à deux mille hommes…

De Bangui-la-Coquette à Bangui-la-Roquette

Fini le temps où deux cents légionnaires déployés en ville, trois coups de feu tirés en l'air et le passage rugissant d'une paire de Mirage suffisaient à rétablir l'ordre. Bangui-la-Coquette, où dans les années 1970 un ministre de la Coopération allait à la chasse aux papillons escorté par des motards, est devenue Bangui-la-Roquette.

Ironie de l'histoire, les troupes africaines les plus aguerries qui se battent en Centrafrique aux côtés des Français sont rwandaises. Ces soldats, environ six cents hommes, sont les « meilleurs ennemis » de l'armée française sur le continent depuis le génocide qui a frappé leur pays en 1994. À peine arrivés en Centrafrique, ils ont commencé par éliminer les Hutu génocidaires qui s'y étaient réfugiés. Sous le nez des Français, qui n'ont rien osé dire…

Sur le terrain, les relations entre les deux armées sont plutôt fraîches, comme en témoigne l'épisode du 14 juillet 2014. Lorsque la présidente centrafricaine par intérim, Catherine Samba-Panza, se rend à la réception donnée à l'ambassade de France pour célébrer la fête nationale, elle est accompagnée de sa garde rapprochée, composée… de soldats rwandais. Non seulement ces derniers n'auront pas droit aux petits-fours, mais ils ne seront même pas autorisés à fouler la pelouse de la résidence et seront priés de partir. Avant de quitter la réception, la présidente demandera à l'ambassadeur : « Comment je fais, moi, puisque je n'ai plus de protection, pour retourner à ma résidence ? » Elle regagnera ses pénates dans un VAB (véhicule de l'avant blindé) de l'armée française…

Force de réaction rapide de la Mission des Nations unies en République centrafricaine (Minusca), qui compte douze mille hommes, l'armée française a maintenu mille cinq cents hommes jusqu'à l'été 2015, puis neuf cents jusqu'à l'élection présidentielle de décembre 2015. En vertu du système de rotation, près de onze mille hommes se sont succédé au sein de Sangaris. Quel est le moral des troupes ? Il est au plus bas. La situation est celle d'une guerre civile, avec des combats qui se déroulent souvent en forêt dense humide ou en zone de savane. Rien à voir avec l'opération Serval au Mali, où il s'agissait de rechercher des ennemis bien ciblés dans les sables du désert.

Le député Olivier Audibert-Troin (UMP), après s'être rendu sur place, en a témoigné en des termes sévères, le 9 juillet 2014, devant ses collègues de l'Assemblée nationale : « Les hommes que nous avons rencontrés au retour de quatre mois d'opérations en Centrafrique reviennent épuisés, physiquement et moralement. Ils travaillent sept jours sur sept, sans un seul après-midi de repos. Aussi, 12 % d'entre eux présentent des déséquilibres psychologiques se traduisant par un contact altéré avec la réalité, contre 8 % pour l'opération Pamir [Afghanistan]. [...] Ce résultat n'est malheureusement pas étonnant dans la mesure où le contexte opérationnel réunissait tous les ingrédients pour que l'impact psychologique soit douloureux : horreur de la guerre civile, impuissance relative de la force, volatilité et dangerosité du milieu, conditions matérielles très rudimentaires, ennemi mal identifié et perte de contrôle de la violence [...][1]. »

La Centrafrique, plus traumatisante que l'Afghanistan ! Facteur aggravant : comme il s'agit d'une ancienne colonie, aucun sas post-traumatique n'a été, dans un premier temps, mis en place pour les soldats qui quittaient le théâtre d'opérations, contrairement à ceux qui rentraient d'Afghanistan, pris en charge dans un hôpital à Chypre. « À la fin des opérations d'Afghanistan, le sas a été déplacé à Dakar, au Sénégal. Mais, entre la fermeture du sas de Chypre et l'ouverture de celui de Dakar, il s'est écoulé six mois à un an, explique Olivier Audibert-Troin. Plusieurs centaines de soldats français, traumatisés par ce qu'ils avaient vu en Centrafrique, sont rentrés directement dans leurs familles en France sans bénéficier de soins. Le flux de soldats soignés pour des troubles psychiques est devenu plus important que celui de soldats soignés pour des causes physiques[2] ! »

---

1. Compte rendu de la mission d'information d'Olivier Audibert-Troin (UMP) et d'Émilienne Poumirol (PS) dans le cadre d'un rapport d'information sur la prise en charge des blessés de l'armée française déposé le 16 décembre 2014.

2. Entretien avec l'auteur, 19 mai 2015.

Dans les cénacles militaires, le « débriefing » est tout aussi alarmant. Rendant compte d'un séminaire sur « les leçons à tirer de Sangaris », auquel ont participé sept officiers engagés dans cette opération, la chercheuse Aline Lebœuf évoque les médecins et logisticiens qui « ont dû réapprendre à tirer », les hélicoptères « utilisés au-delà de leur capacité normale », les alliés de l'armée française « qui ne respectent pas forcément la vie des civils », l'incompréhension des soldats français qui, tandis qu'ils affrontent les combattants de l'ex-Séléka, voient leurs généraux négocier avec les leaders de ce mouvement de rébellion[1]...

Le succès – ponctuel – de Serval au Mali a totalement masqué les ratés de Sangaris. Pendant des semaines, François Hollande et son ministre de la Défense, Jean-Yves Le Drian, ont tout essayé pour mobiliser leurs partenaires européens sur le dossier centrafricain. En vain. Déjà, les Allemands ont mis deux ans avant d'accepter de participer à la restructuration de l'armée malienne. Ils ont commencé très timidement, avec moins de soixante instructeurs – deux fois moins que les Français, déjà tout seuls aux commandes de l'opération unilatérale Barkhane, dans le nord du pays, en appui à la Mission des Nations unies au Mali (Minusma). Ensuite, Berlin a accepté de porter ses effectifs au-delà de trois cents soldats, mais à condition de prendre la présidence de la mission

1. Aline Lebœuf, « Sangaris entre niveaux tactique, opératif et stratégique ». Archives Ultima Ratio, blog du Centre des études de sécurité (CEDS) et de l'Institut français des relations internationales (IFRI).

de formation (European Union Training Mission – EUTM) au Mali et d'en assurer le commandement à compter d'août 2015. Enfin, à la suite des attentats meurtriers du 13 novembre 2015 à Paris, la chancelière Angela Merkel a promis d'accroître encore l'effort militaire et de poster six cent cinquante soldats au Mali au printemps 2016, en soutien à la mission des Nations unies, pour soulager les forces françaises (le Bundestag – le Parlement allemand – a entériné cette décision le 28 janvier 2016).

L'Allemagne est-elle toujours aussi réticente à envoyer des instructeurs en Afrique pour assurer des opérations d'encadrement ? Loin de là : Berlin se montre au contraire très disposé à coopérer militairement avec des pays stratégiques dans le cadre de sa diplomatie d'influence sur le continent. C'est le cas par exemple en Angola, grand pays pétrolier qu'Angela Merkel a visité en 2011. Dans le pré carré français, les choses sont plus compliquées. Ainsi, les partenaires européens de Paris ne veulent tout simplement pas entendre parler de la République centrafricaine, comme si ce pays se trouvait sur une autre planète…

Faute d'un soutien en effectifs sur le terrain, François Hollande a essayé d'attaquer ses pairs européens au portefeuille. Lors du Conseil européen du 20 décembre 2013, il a proposé la création d'un fonds permanent pour financer les opérations extérieures d'urgence comme celle en Centrafrique. Sans succès. Le Premier ministre britannique, David Cameron, est par principe hostile à toute capacité militaire commune au sein de l'Europe des Vingt-Huit. La chancelière Angela Merkel n'est pas opposée à l'idée d'une défense européenne, mais refuse que l'Allemagne « finance des missions militaires au processus desquelles [elle n'a] pas participé ». Surtout quand le « processus » a été monté à Paris.

Les dirigeants français ont alors tenté une autre manœuvre. En Centrafrique, où le cadre est celui d'une opération EUFOR RCA, l'Europe n'est sollicitée que pour sécuriser une partie de la capitale et permettre ainsi aux troupes Sangaris françaises de se déployer à l'intérieur du pays. La décision de lancement de l'opération a bien été approuvée le 1er avril 2014. Mais c'est la France, nation-cadre de l'opération, qui doit mobiliser quasiment la moitié des sept cents militaires prévus. Le reste des effectifs est constitué d'Espagnols, de Finlandais, de Géorgiens, de Polonais… Ne cherchez pas de Britanniques ni d'Allemands.

« L'armée française travaille pour le roi de Prusse ! »

Cette situation fait bondir le député Les Républicains du Cher Yves Fromion. Le 9 juillet 2014, présentant devant l'Assemblée nationale son propre rapport d'information sur l'évolution du dispositif militaire en Afrique, cet ancien saint-cyrien s'emporte : « Avec l'Europe, on touche le fond en Centrafrique. Au Mali, il a fallu que la France mette tout son poids dans la balance pour obtenir un engagement de nos partenaires, et encore nombre d'entre eux se sont-ils fait attendre et se font-ils, pour certains, toujours attendre... Mais, en Centrafrique, il n'est pas exagéré de dire que l'on peut passer de la déception à la désolation : pour une opération tout à fait à la portée des Européens, personne ou presque ne répond à l'appel. [...] Il a fallu six tours de génération de force [six appels à contribution] pour constituer à peu près une mission de huit cents personnels, et encore, la moitié d'entre eux sont fournis soit par la France, soit par des États qui ne sont pas membres de l'UE... Voilà ce qu'il reste de la virtualité européenne. »

Aux yeux d'Yves Fromion, l'absence de participation des partenaires européens « est un échec diplomatique pour la France ». Le constat est brutal, mais il est pour l'heure sans appel. Plus grave : on ne voit pas la moindre perspective d'un changement en la matière. « Les Français y sont allés, qu'ils s'en débrouillent » : telle est la pensée profonde des autres Européens, analyse-t-il, chiffres à l'appui. Ainsi, l'Union européenne a dépensé 840 millions d'euros pour lutter contre les Shebab en Somalie à l'initiative de la Grande-Bretagne, contre seulement 75 millions pour la guerre au Mali à l'initiative de la France. « N'ayons aucune pudeur à le dire : quand des Français ont versé leur sang pour préserver un pays d'une guerre civile, voire du djihadisme international, il y a quelque chose de troublant à voir qu'*in fine* on travaille pour le "roi de Prusse" [1] », conclut le député.

1. *Rapport d'information sur l'évolution du dispositif militaire français en Afrique et sur le suivi des opérations en cours*, présenté par MM. Yves Fromion et Gwendal Rouillard, 9 juillet 2014.

François Hollande semble l'avoir entendu. Pour achever sa «*success story*» au Mali, le président français a beaucoup insisté, lors de la visite d'État à Paris du président malien Ibrahim Boubacar Keïta, les 21 et 22 octobre 2015, sur les avantages économiques que les entreprises françaises retireront des 360 millions d'euros d'aide supplémentaire annoncés (construction des camps de la Minusma par le groupe Razel et fourniture d'hélicoptères français aux troupes tanzaniennes). En Centrafrique, en revanche, aucune retombée économique à attendre. La France aura finalement fourni une grande partie des moyens logistiques indispensables, et sa participation représentera 42 % des effectifs militaires (soit 326 personnels) pour un coût de 36 millions d'euros sur neuf mois (soit 50 millions d'euros en année pleine). Selon le schéma initial, la contribution française à la mission européenne ne devait représenter que 29 % des effectifs (soit 290 personnels) pour un coût de 17 millions d'euros sur neuf mois.

Et la France va subir encore d'autres humiliations pour reconstituer des forces armées centrafricaines. Le 19 février 2015, c'est le ministre de la Défense, Jean-Yves Le Drian, qui est sorti de ses gonds. Lors d'un Conseil européen à Riga, il a échoué à convaincre ses pairs d'envoyer soixante instructeurs à Bangui dans le cadre de l'opération EUFOR RCA. En marge de cette réunion, il a confié à un petit groupe de journalistes: «Il faut mobiliser soixante experts militaires non pas pour une mission de combat, mais pour une mission de conseil-formation. Et nous avons du mal à les réunir. […] Sur les soixante experts, la France [en] met déjà vingt… Voyez l'acuité du sujet ! […] On imagine les risques qu'aurait une RCA qui n'aurait pas d'armée structurée, près du nord du Cameroun, où existe Boko Haram. » Le 15 mars 2015, l'EUFOR RCA de reconstruction de l'armée centrafricaine, aussi stratégique que nécessaire, a été transformée en une EUMAM RCA, c'est-à-dire une simple mission européenne de conseil en République centrafricaine…

Alors, pourquoi l'armée française reste-t-elle en solo en Afrique quand son « chef », François Hollande, justifie ses interventions dans le Sahel par la protection de l'ensemble des pays européens ? Tout juste installé dans le nouveau bunker du ministère de la Défense, le « Pentagone à la française », à Balard, le général Didier Castres, sous-chef des opérations à l'État-major, reconnaît que la France est bien seule en Afrique. Son explication ? Les autres Européens sont « fatigués des guerres du Moyen-Orient », et « les intérêts nationaux priment » en période de crise financière. Il ajoute en baissant le ton, sans doute parce que cette raison est moins avouable : « Les militaires français interviennent dans des conditions de rusticité [1] », avec de vieux matériels que refusent les autres armées. Or les normes de sécurité pour les troupes de l'OTAN exigent deux « protecteurs » pour un instructeur en zone de guerre.

Les sénateurs Jean-Marie Bockel et Jeanny Lorgeoux formulent une autre hypothèse : « Les

1. Entretien avec l'auteur, 30 juin 2015.

réticences des Allemands, voire des Anglais, à exercer un rôle actif dans la sécurité régionale africaine ont des raisons historiques, mais tiennent également au comportement de la France. À titre d'illustration, lors de l'opération au Tchad en février 2008, l'intervention des soldats de l'opération Épervier au profit du président Idriss Déby a donné aux partenaires européens de la France l'impression d'être instrumentalisés par Paris pour maintenir au pouvoir l'un de ses alliés africains. Certains des États du programme de l'Union européenne ont alors envisagé le retrait de leurs soldats déjà déployés. Quant à l'Allemagne et au Royaume-Uni, l'intervention française les a confortés *a posteriori* dans leur décision de ne pas envoyer de troupes pour l'opération européenne [1]. » L'heure du mea-culpa aurait-elle sonné ?

*Halte à l'*African bashing*!*

Faute d'une européanisation de sa présence militaire en Afrique, la France va-t-elle réussir sa stratégie d'africanisation de la sécurité du continent ? C'est une très vieille histoire qui a du mal à se concrétiser.

Lors du sommet franco-africain de Biarritz, en novembre 1994, un autre François, Mitterrand de son

1. *L'Afrique est notre avenir*, rapport d'information fait au nom de la commission des affaires étrangères, de la défense et des forces armées du Sénat par le groupe de travail sur « La présence de la France dans une Afrique convoitée », piloté par les sénateurs Jeanny Lorgeoux et Jean-Marie Bockel, octobre 2013.

nom, avait tenté de mobiliser à huis clos ses pairs africains autour de la création d'une Force d'action rapide interafricaine (FARI) de mille cinq cents hommes. Celle-ci aurait eu pour ambition d'intervenir en urgence dans les conflits africains avant l'arrivée de l'artillerie lourde des Nations unies. Pour éviter que la FARI ne ressemble trop à un remake des « tirailleurs sénégalais » branchés sur l'État-major français, Paris avait tenté de ne pas en être le seul partenaire occidental... mais n'avait pas reçu plus d'écho de l'Occident que des puissances du continent, comme l'Afrique du Sud.

Par la suite, la France a donc repris son train-train avec ses partenaires francophones traditionnels au sein des écoles nationales à vocation régionale (ENVR) qu'elle a créées dans ses anciennes colonies dans les années 1990. Mais ces écoles, destinées à former des officiers et sous-officiers, ne comptent plus que quarante-cinq coopérants militaires français pour deux mille quatre cents stagiaires. Elles ne sont plus à la mesure de l'enjeu sécuritaire qui se joue sur le continent et accueillent finalement moins de soldats africains que les écoles de France. « Je m'interroge sur notre capacité à aider les pays africains à construire leurs armées, déclare le député socialiste Gwenegan Bui. Laissons-nous assez de place aux Africains dans nos écoles militaires ? Je suis allé au Congo avec Philippe Baumel et on nous a demandé si on pouvait faire passer de un à deux le nombre d'officiers de ce pays qui pouvaient être accueillis à l'École de guerre : cela n'a pas été possible[1] ! »

Lancé en 1996-1997 à l'initiative de la France, le programme RECAMP (Renforcement des capacités africaines de maintien de la paix), qui inclut des cycles de formation et d'entraînement à tous les niveaux (stratégique, tactique et opérationnel), s'effiloche également en s'européanisant. Cela n'empêche pas la livraison de matériels flambant neufs, mais ils restent bien à l'abri en ville tandis que les militaires français sillonnent le désert dans leurs vieux véhicules. Les rapporteurs d'une mission d'information sur le dispositif militaire français en Afrique ont été « surpris de voir, sur les parcs de stationnement des éléments français au Sénégal, un nombre conséquent de 4 × 4 Land Rover entretenus en parfait état positionnés au titre du dispositif RECAMP alors que tous les véhicules terrestres [qu'ils] ont pu voir lors de leurs déplacements auprès des forces Serval au Mali et Sangaris en Centrafrique paraissaient loin d'être en aussi bon état[2] ».

La stratégie des bataillons africains en attente est pourtant vigoureusement défendue à l'État-major à Paris. « Je ne supporte plus cet *African bashing* », s'agace le général Didier Castres. Avant d'être nommé sous-chef des opérations à l'État-major, il a

1. Contribution au *Rapport d'information sur la stabilité et le développement de l'Afrique francophone*, présenté par MM. Jean-Claude Guibal et Philippe Baumel, 6 mai 2015.

2. *Rapport d'information sur l'évolution du dispositif militaire français en Afrique et sur le suivi des opérations en cours*, *op. cit.*, p. 64.

été le « Monsieur Afrique » de l'état-major particulier du président de la République. À ce titre, il était collègue et ami avec le général Bruno Clément-Bollée, alors à la manœuvre pour former et équiper la Force africaine en attente de l'Union africaine. Celle-ci est constituée de cinq brigades régionales avec un dispositif intermédiaire d'urgence : la Capacité africaine de réponse immédiate aux crises (CARIC).

Pour Castres, « les effectifs africains de la Communauté économique des États de l'Afrique de l'Ouest (CEDEAO) se sont bien déployés sans les Blancs et avec pas beaucoup de moyens ». Après un temps de réflexion, il poursuit, songeant à l'évidence à tous les soldats africains négligés par une hiérarchie parfois corrompue et ignorés par leurs dirigeants politiques : « Faut-il déjà savoir pour qui on se bat et pour qui on meurt[1]... »

L'heure du bilan de plus de cinquante années de coopération militaire française post-Indépendances a-t-elle sonné ? Le sujet est tabou. Réfugions-nous derrière le père Fouettard incontesté : la Cour des comptes. En 2009, pour la première fois, elle a procédé à une enquête sur la coopération de défense « structurelle » conduite et financée par le ministère des Affaires étrangères et européennes. Elle y relève un « pilotage insuffisant de la coopération militaire », celle-ci se révélant « très ambitieuse par rapport aux moyens mis en œuvre ». Plus sévère encore, elle note : « L'absence de toute analyse quantitative de l'impact

1. Entretien avec l'auteur, 30 juin 2015.

relatif de l'aide militaire sur les États qui en bénéficient, jointe au contact de la très grande disparité de l'effort, ne permettent pas d'éclairer les responsables sur l'efficacité intrinsèque de l'aide fournie.» Surtout, «la réalité de la logique de substitution régulièrement proclamée depuis 1998 apparaît très incertaine[1]».

État des lieux fin 2015 : si l'armée française est toujours au front en Afrique, seule, elle s'est repliée, faute de moyens, sur son pré carré d'Afrique de l'Ouest, jusqu'au Tchad en Afrique centrale. L'objectif est de couvrir toute la bande sahélo-saharienne pour mener la guerre contre le terrorisme. Au total, environ dix mille hommes sont mobilisés. L'État-major a par ailleurs sauvé une partie de ses effectifs à Djibouti (1 300 soldats).

Laissons le mot de la fin à un diplomate chevronné, esprit indépendant doté d'une grande expérience des terrains minés : l'ancien ambassadeur de France en Côte d'Ivoire Gildas Le Lidec. Après avoir assisté, impuissant, aux tirs des hélicoptères français sur les ponts d'Abidjan en novembre 2004, il en a tiré la «philosophie» suivante : «Cette expérience de trois ans au bord de la lagune Ébrié me laisse en fait, sur un plan politique général, une impression quelque peu dubitative quant à notre façon de conduire des expéditions militaires en Afrique, puisqu'elles semblent encore de mise. N'a-t-on pas remis en priorité, sous la pression de l'actualité et des effets de la

1. Rapport de la Cour des comptes, 10 février 2010.

communication, des objectifs avant tout sécuritaires et humanitaires qui viendraient sournoisement supplanter les impératifs du développement ? Je ne veux pas faire ici le procès d'une "France-Afrique" dont je pensais vivre les derniers soubresauts, mais m'inquiéter seulement du mode opératoire et du plan de communication dont nous entourons nos interventions, trop rapidement qualifiées de "victoires", alors que l'histoire nous a enseigné si souvent que l'enlisement guettait toute offensive, fût-elle "éclair" au départ[1]. »

1. Gildas Le Lidec, *De Phnom Penh à Abidjan*, *op. cit.*, p. 141.

Chapitre 5

Arrogant comme… nos diplomates en lévitation

Pour devenir ambassadeur de France dans un État d'Afrique, il ne suffit pas d'être nommé par le président de la République française ; il faut aussi être adoubé d'emblée – et pas seulement accrédité – par le dirigeant du pays concerné. Pendant la guerre froide, les ambassadeurs dans les anciennes colonies se comportaient soit comme des proconsuls de Paris, soit comme des conseillers spéciaux des chefs d'État. Souvent maintenus en poste pendant plus d'une décennie – alors que les diplomates sont censés changer d'affectation tous les trois ou quatre ans –, ils passaient de leurs résidences aux palais du pouvoir sans jamais rencontrer ni les opposants ni les représentants de la société civile. Avant le « reformatage » du parc immobilier diplomatique, ils ont longtemps continué d'habiter les magnifiques demeures que constituaient les anciens palais des gouverneurs. Aujourd'hui descendus de leur piédestal, ils doivent protéger ce qu'il reste du monde des affaires français en Afrique. Une sacrée sinécure pour ces anciens diplomates tout-puissants.

Speed dating *avec des chefs d'entreprise*

Pauvre France, riche Afrique ! À la conférence annuelle des ambassadeurs, fin août 2015, à Paris, Laurent Fabius a vivement incité Leurs Excellences à se mettre au service des entrepreneurs français. Depuis que le commerce extérieur fait partie de son portefeuille ministériel, le chef du Quai d'Orsay est aussi un peu celui de Bercy. En Afrique, il a abandonné la diplomatie politique aux militaires, qui, eux, disposent encore de budgets.

Lors de ce rendez-vous traditionnel, les diplomates ont donc dû se plier à un nouvel exercice qui leur est assez peu agréable : le *speed dating* avec des chefs d'entreprise. Tous les quarts d'heure, le manège tourne. Les ambassadeurs arborent des sourires plutôt crispés : ils savent que leurs interlocuteurs profiteront sûrement de ce premier contact pour venir leur casser les pieds une fois de retour « au pays ». Or les contrats ne se ramassent plus à la pelle comme au bon vieux temps, lorsqu'il n'y avait pas de concurrence. En ce temps-là, pour qu'une entreprise française obtienne un marché, il suffisait de passer un coup de fil au locataire du pouvoir, lui-même coopté par la France. D'ailleurs, dans la plupart des États du pré carré français, l'ambassadeur était le premier conseiller politique du dirigeant. Il avait le regard hautain du proconsul à l'égard de ses collègues des autres pays.

Au Togo, à l'époque du président Gnassingbé Eyadema – trente-sept ans au pouvoir après un coup d'État en 1967 –, l'ambassadeur de France siégeait toujours à ses côtés à la table d'honneur, sur l'estrade. Les ambassadeurs des autres pays étaient assis un mètre plus bas, dans la salle, avec le reste des invités. Ces ambassadeurs-conseillers français finissaient par faire partie de la famille présidentielle et devenaient aussi intouchables qu'inamovibles, car on ne se sépare pas d'un « parent ». En Côte d'Ivoire, le président Félix Houphouët-Boigny garda ainsi dans son entourage, entre 1963 et 1993, deux ambassadeurs de France : Jacques Raphaël-Leygues pendant seize ans et Michel Dupuch pendant quatorze ans. Le second devint ensuite le conseiller Afrique de Jacques Chirac à l'Élysée de 1995 à 2002.

Des ambassadeurs « adoptés » plutôt qu'accrédités

Certains chefs d'État s'entichent tellement de « leur » ambassadeur de France que, à l'heure de sa retraite, ils l'installent dans un petit bureau du palais comme conseiller. C'est le cas par exemple d'Yvon Omnès. Ambassadeur de France à Yaoundé, au Cameroun, de 1984 à 1993, il a traversé le miroir pour devenir le discret conseiller du président Paul Biya.

S'il n'est pas à proprement parler l'un des conseillers officiels du président ivoirien Alassane Ouattara, l'ancien ambassadeur Jean-Marc Simon trouve toujours ouvertes les portes du palais présidentiel à Abidjan. Il est vrai qu'il a fait office de relais entre le président Nicolas Sarkozy et Alassane Ouattara au moment de l'intervention de l'armée française, en avril 2011, pour déloger Laurent Gbagbo de sa résidence-bunker de Cocody. C'est aussi lui qui, le 4 novembre 2013, à Paris, a prononcé le discours d'accueil du président ivoirien comme membre associé de l'Académie des sciences d'outre-mer, une institution créée au temps des colonies. Une sacrée intronisation pour Ouattara, que la plupart des membres de cette assemblée surnommaient l'« agent américain » avant qu'il n'accède au pouvoir [1]. Omniprésent en Côte d'Ivoire, Jean-Marc Simon a également créé son propre cabinet : Eurafrique Stratégies.

Autre retraité « africanisé » dans le privé : le général Emmanuel Beth, ancien chef de l'opération Licorne en Côte d'Ivoire. Après s'être « civilisé » au Quai d'Orsay comme directeur de la coopération de sécurité et de défense, il est resté trois ans, de 2010 à 2013, ambassadeur de France au Burkina Faso aux côtés du président Blaise Compaoré. Il est aujourd'hui le conseiller Afrique de l'influent cabinet d'intelligence stratégique ESL & Network d'Alexandre Medvedowsky. Général et diplomate en Afrique, un métier d'avenir…

1. Voir notre ouvrage *AfricaFrance. Quand les dirigeants africains deviennent les maîtres du jeu*, Fayard, 2014.

Mais encore faut-il pour cela être accrédité par le chef de l'État africain convoité. Pour verrouiller son affaire, mieux vaut passer par des *missi dominici* bien en cour dans les palais africains, et surtout donner d'emblée des gages de fidélité. Les initiés appellent ce procédé l'« écho des savanes » : c'est le dirigeant africain qui parraine « son » ambassadeur auprès de son homologue français.

« Bonjour Monsieur le Président. M. X a bien voulu me donner votre numéro de téléphone pour vous dire à quel point je serais heureux de pouvoir représenter la France auprès de vous et, aussi, vous assurer de ma fidèle et vive considération. » Ce coup de fil d'un ambassadeur de France au président d'un pays africain stratégique pour l'Hexagone n'est pas imaginaire : il a bien eu lieu. Un parmi d'autres... Dans le Gabon d'Omar Bongo, c'étaient les prétendants à la fonction de ministre de la Coopération qui téléphonaient au « décideur » africain. Et quand le chef de l'État gabonais ne les avait pas choisis lui-même ou était mécontent de leurs propos, il obtenait leur tête : ce fut le cas pour Jean-Pierre Cot en 1982 sous la présidence de François Mitterrand, et pour Jean-Marie Bockel en 2008 sous Nicolas Sarkozy.

Au Sénégal, pays de la Téranga (hospitalité), l'écrivain-diplomate Jean-Christophe Rufin commet en 2010 le crime de lèse-majesté de critiquer, dans ses télégrammes envoyés à Paris, le fils du chef, Karim Wade. Ces écrits confidentiels s'étant retrouvés dans *Le Canard enchaîné*, « Papa Abdoulaye » n'aura de cesse que le fautif ne soit débarqué. En juin 2010, l'académicien est poussé un peu vivement vers la sortie, même si la durée de son magistère – presque trois ans – est somme toute normale. Dans la coulisse, l'avocat Robert Bourgi, qui a toujours su faire remonter à l'Élysée les mécontentements des chefs du village franco-africain, présente à Abdoulaye Wade l'ambassadeur Nicolas Normand. Ce diplomate, qui vient d'achever un tour de manège de trois ans au Congo-Brazzaville, est alors pressenti pour Djibouti, mais après une virée à Dakar il se dit plus tenté par les alizés que par le *khamsin*, le vent sec et poussiéreux qui souffle sur la Corne de l'Afrique. Qu'à cela ne tienne. Contre l'avis du Quai d'Orsay et pour faire plaisir à Abdoulaye Wade, Nicolas Sarkozy impose Nicolas Normand à Dakar, où il débarque le 1er août 2010 et présente ses lettres de créance le 10. Pour fêter son arrivée, le couple Wade l'invitera à dîner à la présidence avec son épouse. C'est dans ce même entre-soi que Robert Bourgi, en juin 2011, épinglera les insignes de chevalier de la Légion d'honneur au revers du costume de Nicolas Normand au domicile privé du diplomate, place du Panthéon, en présence du ministre d'État Karim Wade.

En mars 2012, sous la pression de la jeunesse sénégalaise et de mouvements de la société civile comme Y'en a marre, Abdoulaye Wade renonce à ripoliner la Constitution pour se représenter. Le nouveau président, Macky Sall, croit lui aussi qu'il peut choisir son ambassadeur de France. Lors de sa troisième visite à Paris, le 1er mars 2013, il demande à François

Hollande que la France accrédite auprès de lui Laurent Bigot. Hollande note le nom sur un papier et se renseigne. Il apprend que le diplomate – qui a été l'un des rares à recevoir Macky Sall à Paris et à l'écouter quand l'ancien Premier ministre était tricard à Dakar – vient d'être limogé par Laurent Fabius de son poste de sous-directeur de l'Afrique occidentale, officiellement pour avoir tenu des propos peu diplomatiques lors d'un colloque de l'IFRI (Institut français des relations internationales). En réalité, ses analyses tranchées, son ton critique vis-à-vis de l'institution et son carnet d'adresses africain bien rempli agacent ses chefs.

À défaut de Bigot, Macky Sall « hérite » de Jean-Félix Paganon, ambassadeur en fin de carrière, très capé mais soupe au lait. Cet arabisant a été débarqué de son poste – ô combien intéressant et stratégique – de chargé de mission sur la question du Sahel et d'al-Qaida au Maghreb islamique (AQMI) : il risquait de faire de l'ombre à Michel Reveyrand de Menthon, nouveau représentant spécial de l'Union européenne pour la région du Sahel et époux de Marisol Touraine, la ministre des Affaires sociales et de la Santé. Les affaires franco-africaines sont souvent des affaires franco-françaises…

Sous sa moustache bougonne, Jean-Félix Paganon rejoint donc Dakar, un poste qu'il a toujours refusé. Silence radio pendant deux ans. En mars 2015, se croyant chez lui au Sénégal, il déclare, au moment même où se déroule le procès de Karim Wade, poursuivi pour enrichissement illicite présumé : « Un non-lieu serait étonnant. Ce n'est pas un souhait mais un sentiment. […] Un Sénégal à feu et à sang avec des milliers de gens dans les rues pour défendre Karim Wade, je n'y crois pas. » Hurlements du côté de l'opposition – « Notre pays n'est plus une colonie et ne devrait plus être considéré comme telle ! » déclare le Front patriotique pour la défense de la République, coalition de l'opposition – et fureur des avocats de Karim Wade, qui estiment que l'ambassadeur non seulement « s'est immiscé […] dans les affaires intérieures de son pays d'accréditation, mais s'est prononcé sur le dossier d'une affaire de justice mise en délibéré [1] ». Par ses déclarations, Jean-Félix Paganon a-t-il voulu séduire « son » président, Macky Sall, dont il n'était pas le premier choix ?

À Madagascar, c'est curieusement le très discret François Goldblatt, plutôt adepte de la « réserve du diplomate », qui a enfilé le costume de chevalier blanc pour protester contre le remplacement du directeur général du Trésor malgache, lequel avait dénoncé publiquement des tentatives d'opérations illégales de la part de l'exécutif. La prise de position de l'ambassadeur de France provoque de très vives réactions du président, du Premier ministre et du ministre des Finances. Arrivé en janvier 2013, François Goldblatt est rappelé à Paris en juillet 2015. Sa remplaçante, Véronique Vouland-Aneini, suivait déjà les affaires de la Grande Île aux côtés du directeur Afrique du Quai d'Orsay.

1. Dépêche AFP, 11 mars 2015.

À la décharge de François Goldblatt, les dirigeants malgaches ont toujours aimé jongler avec les ambassadeurs de France. Celui qui en parle le mieux, c'est Gildas Le Lidec, ambassadeur en république démocratique du Congo (RDC) de 1999 à 2002, puis en Côte d'Ivoire de 2002 à 2005, période critique pour ce pays. En 2008, par intérêt pour l'Afrique, le diplomate avait accepté le poste d'ambassadeur de France à Madagascar, après avoir occupé cette fonction au Japon. « Nous avions atterri à Antananarivo le 15 février 2008 et j'avais présenté mes lettres de créance au président malgache dix jours après, donc dans des délais tout à fait normaux, raconte-t-il dans ses Mémoires. L'audience avait duré le temps que le protocole d'usage exige pour une première rencontre, le temps aussi que Marc Ravalomanana dévoile la hargne que le pays que je représentais suscitait en lui. » Moins de trois mois plus tard, le 12 avril, Ravalomanana fait une brève escale à Paris avant de gagner Berlin, où il est reçu en visite privée. « Arrivant à l'Élysée, le président malgache demande à avoir un tête-à-tête avec le nôtre, ce qui lui fut sans difficulté accordé. Il aurait ainsi à huis clos demandé mon rappel immédiat sous prétexte que mon passé en Afrique, et notamment les relations que j'avais eues tant avec Kabila père qu'avec Gbagbo, pouvait lui attirer le mauvais sort. [...] Il reste que, fidèle à la partie de bras de fer politique à laquelle il nous avait habitués par détestation de notre pays, il se payait carrément l'ambassadeur, cette fois, après avoir fait expulser le correspondant de RFI. » Le Lidec en demeure amer : « Cette décision intervenait exactement cinquante-sept jours après la présentation de mes lettres de créance. [...] Mon séjour malgache s'acheva par une expulsion déguisée et pourtant acceptée sans ciller par le président de la République cinq mois après qu'il m'eut nommé[1]... »

Après un an et demi passé « sur l'étagère », selon sa propre expression, Gildas Le Lidec est proposé en 2009 comme ambassadeur au Cameroun. Las : tout aussi superstitieux que son homologue malgache, le président camerounais Paul Biya refuse son accréditation. Les chefs d'État africains ont leur « top 10 » des ambassadeurs de France « conciliants » et échangent beaucoup entre eux sur le sujet. Refusé à Madagascar, Le Lidec pouvait difficilement être accepté au Cameroun. Il terminera donc sa carrière dans son autre région de prédilection et de passion, l'Asie, comme ambassadeur de France à Bangkok (Thaïlande).

Rares sont pourtant les diplomates, à l'instar de Gildas Le Lidec, qui choisissent de servir la République en Afrique. Il y a bien sûr les grands initiés du village franco-africain qui ont déjà exercé des fonctions de directeur de cabinet ou de conseiller de ministres de la Coopération. Georges Serre est l'un d'eux et bat même des records en la matière : il a été le conseiller de trois ministres de la Coopération successifs (Jacques Pelletier, Edwige Avice et Marcel Debarge) avant de devenir, entre 1987 et 2002, le

---

1. Gildas Le Lidec, *De Phnom Penh à Abidjan*, *op. cit.*

conseiller Afrique d'Hubert Védrine au Quai d'Orsay, après un passage à la cellule africaine de l'Élysée. Il est ambassadeur de France en Côte d'Ivoire et a également représenté la France en république démocratique du Congo, puis au Cameroun. Une valeur très cotée dans le club des chefs d'État africains.

Une poignée de femmes diplomates tournent également aux postes difficiles que leurs collègues masculins leur ont « abandonnés » sur le continent. Brigitte Robin, qui était en poste à Khartoum, au Soudan, pendant la guerre du Darfour, subit aujourd'hui une flambée de sentiments antifrançais au Cameroun. Ancienne directrice Afrique-océan Indien au Quai d'Orsay, Élisabeth Barbier, qui n'a pas eu l'heur de plaire au nouveau ministre des Affaires étrangères, Laurent Fabius, a été débarquée pour être « promue » ambassadeur en Afrique du Sud. Brigitte Collet, qui représente la France en Éthiopie, a été choisie pour sa longue expérience au sein des organisations des Nations unies et parce qu'elle représente la France à l'Union africaine.

La nomination au Tchad d'Évelyne Descorps, une « développeuse » de l'ancien ministère de la Coopération, reste énigmatique. À N'Djamena, les ambassadeurs de France sont invisibles lorsqu'ils ne sont pas des « frères d'armes » du président Idriss Déby – arrivé au pouvoir par un coup d'État en 1990 et coopté par la France, qui trouvait que son prédécesseur, Hissène Habré, devenait trop proche de Washington. Ainsi, lorsque le journaliste de Radio France Internationale Laurent Correau a été expulsé du pays le 23 juin 2015, l'ambassadrice s'est ruée à l'aéroport pour le rencontrer avant qu'il ne soit jeté dans l'avion, mais en a été empêchée physiquement. Message : ici, c'est pas Paris ! Laurent Correau enquêtait sur des exactions commises dans le sud du Tchad entre 1982 et 1990, période où Idriss Déby était conseiller à la défense et à la sécurité d'Hissène Habré. Depuis l'été 2015, ce dernier est jugé pour crimes contre l'humanité, crimes de guerre et actes de torture par les Chambres africaines extraordinaires, juridiction spéciale sise à Dakar et créée par le Sénégal et l'Union africaine.

Des diplomates en treillis

Évelyne Descorps n'est pas le premier diplomate français « civil » à faire les frais de la relation fusionnelle entre l'armée française et Idriss Déby, dont les troupes – les seules aguerries dans la région – ont combattu avec la Légion étrangère dans le nord du Mali au cours de l'opération Serval. Ainsi, avant même que la capitale tchadienne ne devienne le poste interarmées de l'opération française Barkhane pour l'ensemble du Sahel, au mois d'août 2014, Déby snobait tous les ambassadeurs de France qui montraient des velléités de lui donner des leçons de démocratie.

Nommé à N'Djamena par François Mitterrand en 1991, Yves Aubin de La Messuzière comprend vite qu'il évolue sur un terrain militaire, qui plus est miné. Lorsqu'il rencontre Idriss Déby pour la première fois, c'est à Paris, boulevard Mortier, au cours d'un dîner organisé par la DGSE en l'honneur du président tchadien. Et l'avion qui le conduira au Tchad pour sa prise de fonctions sera escorté à l'atterrissage par deux Mirage… « Faut-il voir dans cette initiative surprenante – et, comme je l'apprendrai par la suite, contraire aux règles d'utilisation des moyens aériens – un signe de nos militaires, fortement présents au Tchad[1] ? » s'interroge encore l'ambassadeur bien des années plus tard. Yves Aubin de La Messuzière sera très vite boudé par Déby, qui lui reproche d'être trop à l'écoute des opposants, en particulier les organisations d'inspiration sudiste, qu'il exècre. En outre, le ministre de la Coopération de l'époque, Michel Roussin, ancien directeur de cabinet du SDECE, ancêtre de la DGSE, marginalise l'ambassadeur en installant un fil secret direct entre le chef de mission de coopération, André Bailleul, et le conseiller de la DGSE auprès du président, Paul Fontbonne, afin de pouvoir évoquer avec le chef de l'État des dossiers sensibles, en particulier économiques.

Et ce n'est là que le début de la militarisation de la diplomatie française dans la région. Au Burkina Faso sont installés des membres du Commandement des opérations spéciales (COS), longtemps dirigé par Frédéric Beth, le propre frère de l'ambassadeur de France à Ouagadougou entre 2010 et 2013. Frédéric Beth a ensuite dirigé le cabinet du directeur général de la DGSE. À Emmanuel Beth a succédé le

1. Entretien avec l'auteur, 10 juin 2013.

saint-cyrien Gilles Thibault, officier de carrière de 1983 à 1995, qui enfile la queue-de-pie du diplomate mais garde ses lunettes de vision nocturne à portée de main. Même schéma au Mali, où l'ambassadeur Christian Rouyer (2011-2013), pourtant colonel de réserve, a dû céder son poste à un autre saint-cyrien, Gilles Huberson, officier d'active de 1981 à 1996 et responsable de la lutte antiterroriste au Quai d'Orsay de 1996 à 1999.

Dans la Corne de l'Afrique, zone stratégique en raison notamment des djihadistes salafistes qui y sévissent, c'est un diplomate profilé DGSE, Rémi Maréchaux, qui a été installé en vigie comme ambassadeur à Nairobi, au Kenya – un poste qui inclut une représentation de la France auprès de la république fédérale de Somalie, puisque l'ambassade de France à Mogadiscio a été fermée en 1993. Conseiller à la cellule africaine de l'Élysée de 2007 à 2010, Rémi Maréchaux avait été auparavant le directeur de la stratégie de la DGSE.

Leurs Excellences aux premières loges

Aux proconsuls des années 1970 et aux ambassadeurs-conseillers des années 1980 ont donc succédé, après la fin de la guerre froide, quelques diplomates qui ont cru que la chute du mur de Berlin allait changer le sens du vent en Afrique. Pourtant, l'alternance n'a pas encore touché tous les pays de l'ancien pré carré français, où les présidents meurent au pouvoir.

Non seulement les diplomates les plus « tradis » du Quai d'Orsay ont perdu en Afrique une partie de leurs budgets ainsi que leurs plus belles résidences, vendues aux enchères en vertu de l'affreuse RGPP (Révision générale des politiques publiques), mais ils ont vu débarquer d'anciens « officiers d'active » dans toute l'Afrique de l'Ouest, zone qui voit la résurgence des islamistes fondamentalistes du XVIIe siècle. S'ils bombent souvent le torse devant les micros, ils sont plus lucides qu'on ne le soupçonne sur la perte d'influence de la « patrie » en Afrique et les nouvelles limites de leur « suffisance ». Mais ils ne l'avouent qu'à huis clos.

Dès 2008, un télégramme confidentiel de Jean de Gliniasty, alors directeur Afrique du Quai d'Orsay, atteste cette prise de conscience[1]. Le « Département » y demande aux ambassadeurs en poste sur le continent de se prononcer sur la « politique africaine de la France ».

L'entrée à vitesse grand *V* de « la jeunesse africaine, surtout celle qui est urbanisée, dans le village global » est largement sous-estimée, reconnaissent Leurs Excellences. Elles relèvent également la réelle créativité des Africains dans leur utilisation du « levier concurrentiel » avec l'arrivée des nouveaux pays émergents (Chine, Inde, Malaisie, Indonésie, Brésil et pays du Golfe). L'« image brouillée » de la France en Afrique ne leur a pas non plus échappé : « Moins négative qu'on pourrait le croire en Afrique anglophone

1. TD Diplomatie, n° 1863, 15 janvier 2008.

[...], cette image oscille entre attirance et répulsion dans nos anciennes colonies, au gré du soutien politique ou des interventions militaires. Leur reproche balance, inconfortablement pour nous, entre l'accusation d'ingérence ou d'inaction suivant la posture adoptée. » Sauf exception, cette présence militaire est reconnue comme positive, « pourvu qu'elle ne vienne pas en appui à des régimes peu recommandables et qu'elle soit limitée dans la durée ».

On est très près du dépit amoureux. Les « francophones les plus modérés » ont l'impression d'être « délaissés, voire de ne pas être payés en retour par une France en repli (immigration-visas, réduction de l'aide, traitement des anciens combattants) avec le risque réel que les jeunes générations se détournent de la France pour rejoindre de nouveaux partenaires ». Plus encore, les Africains en général se disent « fatigués de recevoir des leçons de morale, de bonne gouvernance et de gestion, mêlant arrogance et charité, de tous les contributeurs ». Dans le domaine des affaires, les diplomates-VRP profitent de l'occasion unique qui leur est offerte de flinguer ces « entreprises françaises qui ont trop tendance à s'endormir sur leur capital historique, privilégiant le retour sur investissement rapide à la vision à long terme ». Surtout, ils entendent rapatrier dans leur escarcelle l'argent que la France verse à l'Union européenne pour l'aide au développement, jugeant que celle-ci n'est plus « une alternative crédible à l'aide bilatérale du fait de sa faible efficacité ». Dommage de ne pas s'en être aperçu plus tôt...

Bien sûr, ce télégramme afro-réaliste ne se termine pas sans le cocorico de rigueur. Les diplomates français demandent ainsi des fonds pour pouvoir reprendre la coopération de substitution, faisant valoir « cette connaissance irremplaçable du terrain, reconnue aussi bien par les Africains que par les Occidentaux, dans le domaine civil et militaire, que nous sommes les derniers à posséder sur ce continent ». Car « les Africains nous reconnaissent une capacité particulière à percevoir mieux que d'autres les enjeux politiques du développement ». Reste une certaine forme de lucidité : « Notre compétence est particulièrement reconnue et attendue en matière de formation des formateurs, de gouvernance, de justice, de sécurité et d'environnement et, bien sûr, de francophonie. [...] Mais notre discours est perçu comme décalé, alors que nos moyens diminuent et que notre action se dilue dans le multilatéral. »

Chapitre 6

Arrogant comme… nos politiques en *missi dominici* présidentiels

Les parlementaires français qui président les groupes d'amitié avec des pays africains ont toujours constitué une caste d'intouchables. Aujourd'hui, c'est par leur intermédiaire que les chefs d'État africains font connaître à Paris leurs états d'âme, voire leurs griefs, à l'égard de l'ancienne métropole. En contrepartie, ces parlementaires interviennent discrètement auprès des mêmes chefs d'État pour faire avancer des dossiers d'entreprises françaises en souffrance. Ce sont d'ailleurs les sénateurs les plus investis en Afrique qui ont, dans des rapports très étayés, sonné le tocsin au sujet de la perte d'influence de la France sur ce continent. De la même façon, au sein de la classe politique, les anciens ministres de la République sont très sollicités par l'Élysée pour intervenir auprès des présidents africains en faveur des intérêts français. Cela épargne parfois à l'exécutif d'être en première ligne face à des dirigeants tenus à bout de gaffe. Ces personnalités assurent aussi des prestations fort bien rémunérées lors de colloques et de conférences organisés par de grands groupes spécialisés dans l'événementiel (Forum Forbes Afrique, New York Forum Africa…) et très prisés par les dirigeants africains, en mal de reconnaissance internationale. En somme, une sorte de « lobby africain » à Paris…

Hollande chez Borloo, la fée Électricité

Mardi 3 mars 2015. L'hôtel de Marigny n'a pas connu telle affluence depuis décembre 2007, lorsque le colonel Kadhafi avait planté sa tente dans ses magnifiques jardins et regardé défiler le gotha des chefs d'entreprise venus baiser ses babouches. Ce 3 mars, il ne s'agit que d'un « point de presse » au cours duquel l'ancien ministre d'État Jean-Louis Borloo doit présenter l'« avancée » de son projet sur l'« électrification de l'Afrique ». La grande prêtresse de l'organisation médiatique de cette manifestation est, sans surprise, Framboise Holtz. L'ex-épouse du journaliste sportif Gérard Holtz gravite de longue date dans l'entourage de Jean-Louis Borloo. De 2008 à 2010, elle a été sa conseillère en communication au ministère de l'Écologie et du Développement durable. Aujourd'hui, elle est la directrice de la communication de la fondation de la première dame du Gabon, Sylvia Bongo. L'Afrique est toujours au bout du réseau…

Toutefois, cela n'explique pas pourquoi l'ancien ministre centriste, officiellement à l'écart de la politique depuis 2014, peut disposer à sa guise de l'hôtel de Marigny pour s'exprimer devant les journalistes. D'autant que ces derniers s'aperçoivent très vite que la « fête » n'a pas vraiment été organisée pour eux. On les a relégués sur les deux dernières rangées de chaises. Les premiers rangs sont réservés aux politiques, à commencer par les présidents des deux Assemblées, Claude Bartolone (Assemblée nationale) et Gérard Larcher (Sénat), qui se regardent en chiens de faïence. Et pour cause : le premier a suggéré la suppression de la Chambre que préside le second ! À leurs côtés, la maire de Paris, Anne Hidalgo, et le président du MEDEF, Pierre Gattaz. Les rangs suivants accueillent exclusivement les dirigeants d'entreprises spécialisées dans l'énergie. Les autres participants de cet étrange happening sont les chefs de file du riche vivier de l'écologie sur plusieurs générations : Gaby Cohn-Bendit, Brice Lalonde, Chantal Jouanno, Jean-Vincent Placé...

Les cheveux ébouriffés, comme à l'accoutumée, Jean-Louis Borloo saute sur l'estrade avec une heure de retard et s'enflamme très vite. En arrière-plan, une carte satellite nocturne soulignant le contraste entre une Afrique plongée dans les ténèbres et une Europe brillant de mille feux. L'ancien ministre s'est lancé à corps perdu dans la bataille de l'électrification de l'Afrique. « Il faut électrifier l'Afrique à 100 %. C'est vital pour notre croissance, pour notre stabilité, et c'est un supplément d'âme pour l'Europe », martèle-t-il devant une audience institutionnelle qui, acquise à la cause de ce « visionnaire », applaudit le moindre de ses propos lénifiants. Le cardinal guinéen Robert Sarah, présent dans le parterre, a droit à une petite adresse personnelle : « Nous avons entendu l'appel du pape. Dites à Sa Sainteté que nous ne sommes pas indifférents. » Le Saint-Père est toujours un bon produit d'appel…

La conférence traîne en longueur. On semble attendre un invité surprise. Pour patienter, on autorise les journalistes à poser quelques questions. Bientôt, un brouhaha se fait entendre. Le visiteur mystère qui vient d'apparaître aux côtés du nouvel « Africain » du village français n'est autre que François Hollande, tout sourire. Le chef de l'État vient en voisin « apporter l'appui de la France à ce projet, à la fois pour les Africains et pour le monde ». Il se livre surtout à une opération de communication politique qui poursuit deux objectifs. Le premier : relancer les entreprises françaises d'énergie sur un marché où elles perdent pied face à une concurrence mondiale. Le 22 juin 2015, une proposition de résolution sera présentée par une soixantaine de sénateurs « pour le soutien au plan d'électrification du continent africain : plan d'électricité – Objectif 2025 » de Jean-Louis Borloo. En langage politique, cela donne : « La fracture environnementale et énergétique, associée à la révolution démographique en cours (la population africaine pourrait doubler, atteignant à l'horizon 2030 la barre symbolique des deux milliards d'habitants), serait particulièrement préjudiciable à notre continent et à notre pays dès lors que rien n'est fait pour la résorber. »

Second objectif: mobiliser l'Afrique en vue de la conférence des parties sur le climat (COP 21) qui se tiendra à Paris quelques mois plus tard, en décembre 2015. François Hollande compte sur les talents de négociateur de celui qui avait insufflé l'esprit du Grenelle de l'environnement. Ce jour-là, la mobilisation africaine n'est pas vraiment visible. Seul le président gabonais Ali Bongo a envoyé à Paris le secrétaire général de sa présidence, Étienne Massard. Et Jean-Louis Borloo n'est pas au bout de ses déceptions. Ainsi, il a beau aller frapper chez les plus grands financiers de la planète, telle l'Arabie saoudite, son projet à 200 milliards d'euros n'existe toujours que sur le papier. Le haut dignitaire africain qu'il avait pressenti pour présider sa Fondation pour l'énergie, le Rwandais Donald Kaberuka, ancien président de la Banque africaine de développement (BAD), s'est mis aux abonnés absents. Pis, son successeur à la tête de la BAD, le Nigérian Akinwumi Adesina, a lui aussi fait du déficit énergétique sa priorité et n'entend pas laisser trop de champ à cet arrogant Français. « Ma priorité est d'allumer l'Afrique, a-t-il déclaré à *Jeune Afrique*. Sans électricité, pas de développement. [...] C'est à la BAD, une organisation africaine implantée en Afrique, de prendre le leadership. Nous disposons aujourd'hui de la volonté politique nécessaire pour débloquer les financements qui permettront de changer les choses au niveau des infrastructures, des prix, des institutions d'encadrement[1]. »

1. Interview dans *Jeune Afrique*, 13-29 septembre 2015.

En attendant l'hypothétique manne financière des pays du Golfe, Jean-Louis Borloo est sponsorisé par une trentaine de groupes français déjà bien présents sur le continent africain : Total, Bouygues, Bolloré, Veolia, GDF Suez, Geocoton, Air France... Ce sont leurs contributions qui paient ses avions et ses nuitées d'hôtel. Il n'aurait bénéficié qu'une seule fois d'un « lift » dans un avion de la République française, et, selon ses proches, il préfère rencontrer les chefs d'État sans les ambassadeurs de France. Il est également l'invité-vedette d'un nombre incalculable de cénacles, du Conseil français des investisseurs en Afrique (CIAN) à l'Automobile Club de France, en passant par la grande mosquée de Paris et le club Efficience. Ce dernier – « gotha noir de France », comme il se définit lui-même – réunit cinq cents membres de la « diaspora afro-française » et organise rencontres, forums, parrainages d'entreprise et autres dîners d'affaires. Malheureusement, le jour même où Jean-Louis Borloo était l'invité d'honneur d'un de ces dîners, le 12 juin 2015, à l'hôtel Marriott des Champs-Élysées, il était coincé au sommet de l'Union africaine en Afrique du Sud. Dans la salle d'attente de chefs d'État africains...

Murmurer à l'oreille du président

Aux yeux de ces présidents, Jean-Louis Borloo est avant tout une personnalité atypique et « trans-courants », assez influente à Paris pour pouvoir faire

« passer des messages politiques ». Ceux qui n'ont pas la ligne directe avec François Hollande – lequel pratique pourtant beaucoup le SMS – comptent sur Borloo pour chuchoter à l'oreille du monarque de l'Élysée. Les dirigeants africains les plus accueillants à son égard sont d'ailleurs ceux qui aimeraient bénéficier de la neutralité bienveillante de l'ancienne puissance coloniale pour se maintenir au pouvoir. L'énergie dans leur propre pays est un dossier sur lequel ils se sont peu penchés, ou alors juste pour demander aux Occidentaux hier – et aux Chinois aujourd'hui – de s'en préoccuper à leur place…

Pendant la guerre froide, le rapport était inversé. C'est la France qui cooptait les dirigeants africains, plaçant au pouvoir d'anciens soldats de l'armée française, comme le général-président togolais Gnassingbé Eyadema ou le maréchal centrafricain Jean-Bedel Bokassa, ou encore d'anciens ministres de la République, à l'instar de Félix Houphouët-Boigny en Côte d'Ivoire ou de Léopold Sédar Senghor au Sénégal. Par la suite, ce sont les dirigeants africains qui ont disposé de *missi dominici* à Paris pour se faire entendre. La plupart des chefs d'État de l'ancienne génération, comme le président gabonais Omar Bongo, connaissaient mieux la carte politique de la France que les Français eux-mêmes. Après avoir financé les partis, ils ont commencé à miser directement sur les hommes politiques les plus à même de leur rendre des services.

La perte d'influence de la classe politique française sur l'Afrique – et sa perte d'intérêt à son égard – a changé la donne. Aujourd'hui, les chefs d'État francophones du continent sont surtout à la recherche de communicants et d'avocats susceptibles de défendre leur point de vue dans les réseaux d'influence internationaux. À Paris, c'est au Sénat qu'on trouve les derniers « grands fauves » du village franco-africain, aussi inamovibles que certains présidents. Le plus capé d'entre eux est Jean-Pierre Cantegrit, qui, fin 2015, entrait dans la trente-huitième année de ses fonctions de sénateur des Français de l'étranger. Membre du bureau politique des Républicains, Cantegrit préside depuis la nuit des temps le groupe d'amitié France-Afrique centrale. Ce sénateur qui a pour pays fétiche le Gabon de la dynastie Bongo est d'autant plus influent qu'il préside le conseil d'administration de la Caisse de sécurité sociale des Français de l'étranger (CFE), dont la moitié des adhérents résident en Afrique. Président délégué ou membre de tous les autres groupes d'amitié du Sénat en lien avec l'Afrique (Afrique de l'Ouest et Corne de l'Afrique), Jean-Pierre Cantegrit a aussi la particularité d'être le chargé des relations extérieures de Pierre Castel, le grand brasseur milliardaire, aussi puissant que Vincent Bolloré ou Martin Bouygues sur le continent. Un intouchable, donc, et de surcroît légaliste vis-à-vis des pouvoirs africains.

Au Sénat prospère également le cercle des ministres de la Coopération disparus, dans lequel on trouve Henri de Raincourt, Jean-Marie Bockel, Alain Joyandet et quelques vieux compagnons de route du continent. Une Académie des immortels qui ne raccrochent pas vraiment, à l'instar des journalistes africanistes ! Parmi les plus persévérants d'entre eux figurent Jeanny Lorgeoux, l'une des « envoyés » de François Mitterrand auprès des chefs d'État africains, et Jacques Legendre, qui préside toujours le groupe d'amitié France-Afrique de l'Ouest du Sénat. Legendre s'est piqué d'Afrique il y a plus de cinquante ans lorsqu'il était coopérant en République centrafricaine. Il a aiguisé sa plume en rédigeant un petit manuel de littérature négro-africaine d'expression française pour l'École nationale d'administration de Bangui.

Si chacun de ces sénateurs est persuadé de connaître mieux l'Afrique que ses collègues, entre eux ils ont plutôt recours à la palabre et au consensus qu'aux grigris maléfiques concoctés dans le bois sacré. Ce n'est pas le cas à l'Assemblée nationale. Quand le jeune député socialiste de Saône-et-Loire Philipe Baumel a laissé égratigner, dans un rapport sur l'Afrique [1], le président camerounais Paul Biya, plusieurs de ses collègues ont grogné. À commencer par le président du groupe d'amitié France-Cameroun, André Schneider, député Les Républicains du Bas-Rhin : « Je crois que vous n'avez critiqué, de tous les présidents africains, que le président Biya : il me semble que c'est un peu problématique », a-t-il fait remarquer lors de la réunion de la commission des affaires étrangères le 15 avril 2015. Élisabeth Guigou,

1. *La Stabilité et le développement de l'Afrique francophone*, rapport d'information présenté par Jean-Claude Guibal (UMP) et Philippe Baumel (PS, rapporteur), mai 2015.

députée socialiste, présidant ladite commission, a également paru soucieuse de ne pas froisser « nos amis » les chefs d'État africains et a demandé à Philippe Baumel de revoir sa copie. Au cours de la réunion qui a suivi le ripolinage de ce rapport, le 6 mai 2015, André Schneider ne cachait pas sa satisfaction : « Je voudrais dire que le fond du travail, les objectifs, et l'analyse du rapport sont extrêmement pertinents. Je m'interroge seulement sur la mise en cause de la légitimité de certains chefs d'État africains. Je ne suis pas particulièrement convaincu que cela arrange les relations internationales de la France, notamment avec un pays d'Afrique centrale sur lequel nous mettons de l'espoir pour les années à venir dans cette zone. Je me félicite que le rapporteur et le président aient modifié leur projet sur ce point. »

Voyages et temps de parole facturés TTC

Une telle diatribe est plutôt rare dans les Chambres législatives, où les vrais débats sur la politique africaine de la France sont souvent aseptisés ou hâtivement étouffés. C'est une tradition : les parlementaires ne critiquent pas le pouvoir exécutif quand des militaires français sont en opération. Dans ces cénacles, il est jugé tout aussi « irresponsable » de vilipender les « alliés » africains de la France qui votent comme un seul homme ses résolutions aux Nations unies – des alliés qui sont souvent des chefs d'État au long cours connaissant parfaitement les jeux d'influence en vigueur dans les milieux du pouvoir à Paris.

Les membres de la classe politique française les plus initiés à l'Afrique sont toutefois devenus frileux et hésitent désormais à rendre visite à leurs « amis » dans leurs palais. Ils craignent qu'on les accuse d'aller chercher du cash... Les plus exposés ne se déplacent plus sur le continent que dans le cadre de forums, conférences et autres colloques. Quand ils se font rémunérer – ce qui n'est pas toujours le cas –, c'est donc à travers le sas de grands groupes de communication. Pour fêter le cinquantenaire de l'indépendance du Cameroun, en juin 2010, les anciens Premiers ministres français Michel Rocard et Alain Juppé étaient ainsi cornaqués par Stéphane Fouks d'Euro RSCG, une filiale du groupe Bolloré, lequel réalise dans la région d'importantes opérations portuaires et ferroviaires. Pour le lancement du magazine *Forbes Africa*, le 24 juillet 2012, à Brazzaville, c'est encore Euro RSCG qui a mis dans l'avion les anciens Premiers ministres Jean-Pierre Raffarin et Dominique de Villepin. Lors de l'édition suivante, en juillet 2013, c'est Jean-François Copé, alors président de l'UMP (aujourd'hui Les Républicains), qui a fait le déplacement, déclarant qu'il assumait « totalement » avoir fourni une « prestation rémunérée », selon son directeur de cabinet de l'époque, Jérôme Lavrilleux. Une semaine auparavant, Rachida Dati, ancienne ministre de la Justice et garde des Sceaux, par ailleurs députée européenne, était reçue par le président

Denis Sassou Nguesso à l'occasion du Festival panafricain de musique (FESPAM).

Au Congo et au Gabon, pays pétroliers, le communicant Richard Attias sollicite également moult personnalités politiques françaises pour participer aux sessions de son New York Forum Africa (NYFA). Lors de la « saison 5 » de ce forum, qui s'est déroulée à Libreville, au Gabon, du 28 au 30 août 2015, Ségolène Royal, ministre de l'Écologie, du Développement durable et de l'Énergie, était surtout présente pour motiver les Africains en vue de la COP 21 du mois de décembre suivant. Mais non loin d'elle était assis Jean-Louis Borloo, avec ses fulgurances énergétiques. Ce jour-là, le slogan était : « Ce n'est pas la démocratie qui apporte la lumière. C'est la lumière qui apporte la démocratie ! »

Trois mois plus tard, le 3 novembre 2015, Jean-Louis Borloo, infatigable « fée Électricité » des bords de Seine, a lui-même orchestré une autre grande opération de communication, cette fois-ci devant le Conseil économique et social. Se présentant alors comme le « notaire des chefs d'État africains », Jean-Louis Borloo était pourtant bien isolé. Seul le Camerounais Roger Nkodo Dang, qui préside actuellement en Afrique du Sud un « Parlement panafricain », avait fait le déplacement. Borloo a d'ailleurs rameuté ses anciens « amis » de l'Assemblée nationale française pour qu'ils viennent l'écouter. En un an, Jean-Louis Borloo est ainsi devenu l'agent fédérateur de l'Afrique pour la COP 21.

Pour l'année 2016, on attend une tournée des candidats à l'élection présidentielle française de 2017 dans les palais africains. Nul doute que les dirigeants africains sauront soutenir « leur » candidat…

Chapitre 7

Arrogant comme… nos missionnaires en perdition

La colonisation française s'incarnait à travers trois grands « M » : marchands, militaires et missionnaires. Ces derniers sont en voie de disparition : les « Pères blancs » ne sont plus qu'une poignée. Ils ont perdu la partie et leurs ouailles dans leur zone traditionnelle – l'Afrique francophone –, tandis que les évangéliques protestants, d'origine anglo-saxonne, prospèrent dans les grandes capitales africaines. Toutefois, les missionnaires catholiques continuent de s'occuper des plus pauvres, ce qui n'est pas toujours le cas des autres congrégations. Le clergé catholique est longtemps resté proche des seules élites dirigeantes, qu'il avait formées dans ses écoles religieuses. Une évangélisation par le haut, en quelque sorte. Aujourd'hui, par un étonnant retour de civilisation, les jeunes curés africains sont surtout destinés… à remplacer les vieux prêtres dans nos campagnes françaises! On trouve ainsi dix fois plus de prêtres venant d'Afrique en France que de « Pères blancs » en Afrique. Pendant ce temps, dans toute la zone sahélo-saharienne, les petits-fils des califes combattus au XIXe siècle par les colonisateurs reprennent le fil de leur histoire. Un islam de « bienfaisance », aussi riche que politique, irrigue des régions en déshérence à travers des commandos djihadistes. En Afrique équatoriale, ce sont les missionnaires pentecôtistes qui remplissent les stades. Ils promettent à des populations en situation de survie qu'un Dieu tout-puissant va les guérir et les rendre riches par ses miracles. Si les tournées du pape François mobilisent encore les foules chrétiennes, la France, « fille aînée de l'Église », est boudée et renvoyée à son arrogance passée.

Les Pères blancs dans le sillage de Foucauld

Béatifié le 13 novembre 2005 au Vatican par le pape Benoît XVI, Charles de Foucauld demeurera le symbole de ces missionnaires explorateurs qui prêchaient moins par les sermons que par l'exemple de leur vie ascétique. En terre d'islam, dans le Sahara algérien, il a été le premier à porter la plume dans la plaie d'une évangélisation en échec. Le 22 novembre 1907, il écrit à Henri Huvelin, son « maître en religion » : « Le clergé ne s'occupe pas plus des indigènes que s'ils n'existaient pas, excepté les Pères blancs ; et ceux-ci même, institués pour eux, trouvant l'œuvre très ingrate, se sont tournés vers les peuples nègres de l'Équateur, y exercent tout leur effort et n'ont plus en Algérie qu'un nombre infime de missionnaires dont l'action est nulle. » Celui qui a été officier de l'école militaire de Saint-Cyr avant de devenir moine trappiste cistercien, puis ermite au Sahara, s'étonne par ailleurs que « le million d'Européens habitant l'Algérie [vive] absolument séparé, depuis plus de soixante-dix ans, du milieu social de trois millions de musulmans, sans le pénétrer en rien, très ignorant de tout ce qui les concerne, sans aucun contact intime avec eux, les regardant toujours comme des étrangers et la plupart du temps comme des ennemis ». On lit sa déception face à tant de mépris.

Six mois plus tard, le 9 juin 1908, Charles de Foucauld écrit à l'un de ses amis, l'abbé Caron : « Le coin de Sahara que je suis seul à défricher a deux mille kilomètres du nord au sud, et mille de l'est à l'ouest, avec cent mille musulmans dispersés dans cet espace, sans un chrétien, si ce n'est les militaires français de tous grades [...]. Je n'ai pas fait une conversion sérieuse depuis sept ans que je suis là : deux baptêmes mais Dieu sait ce que sont et seront les âmes baptisées : un tout petit enfant, que les Pères blancs élèvent, Dieu sait comme il tournera – et une pauvre vieille aveugle : qu'y a-t-il dans sa pauvre tête, et dans quelle mesure sa conversion est-elle réelle [1] ? »

De fait, les « Pères blancs » ont vite compris qu'il n'y avait pas d'avenir pour la chrétienté dans le Sahara

1. Charles de Foucauld, *Lettres et carnets*, Seuil, 1966.

musulman. Ils sont descendus en Afrique équatoriale, où le « diable » se manifestait par le vaudou, les fétiches et les croyances surnaturelles. Ils ont essaimé non seulement dans les anciennes colonies françaises, mais dans d'autres pays africains tels que l'Ouganda, la Tanzanie et la république démocratique du Congo. Sans doute parce que, parmi ces missionnaires, il y avait autant de Belges, d'Allemands et de Néerlandais que de Français. Alors qu'on en comptait encore plusieurs milliers à l'époque des Indépendances, ils ne sont plus aujourd'hui que quelques centaines d'honorables retraités.

Nous sommes parti à leur rencontre… à Paris. Le siège des Pères blancs est situé dans un vieil immeuble de la rue Roger-Verlomme, non loin de la place des Vosges. Au milieu des trombones et des chemises à élastique figées par le temps, ils racontent au journaliste de passage leurs « missions » africaines comme des épopées d'un autre siècle. « Nous sommes toujours missionnaires, même si, pour beaucoup, l'âge et la maladie ont affaibli nos forces[1]. » Nombre d'entre eux œuvrent moins en Afrique que dans l'Hexagone, pour soutenir une Église de France qui, dans les milieux africains, souffre face à des églises évangéliques et pentecôtistes en pleine expansion.

La vraie différence des Pères blancs avec les ordres religieux traditionnels est qu'ils ont toujours respecté les trois exigences imposées par Charles Lavigerie,

1. Entretien avec l'auteur, 24 septembre 2015.

archevêque d'Alger, fondateur de cette société de missionnaires en 1868 : « Vous parlerez la langue des gens ; vous mangerez leur nourriture ; vous porterez leurs habits. » Des préceptes rares dans les milieux catholiques postcoloniaux. À l'époque, le clergé traditionnel ne supportait aucune influence africaine sur ses rites romains. Ses évêques regardaient d'un œil sévère tout prêtre noir qui prétendait y associer ses propres croyances. Sous les chasubles, un groupe de dissidents n'en a pas moins revendiqué une « théologie africaine » où l'on pouvait à la fois être baptisé et participer à des danses funèbres ainsi qu'à d'autres rites permettant de ne pas couper le futur catholique de son milieu social et des « mille fibres occultes » qui le rattachaient à son clan. En 1956, sous le titre prudent *Des prêtres noirs s'interrogent*, une dizaine de prêtres africains et haïtiens ont ainsi dénoncé « l'assimilation massive de l'Européen qui veut détruire tout ce qui est nègre, africain, sous prétexte que tout cela [n'a] pas de valeur humaine ». Ils se demandent : « Le Noir doit-il mourir à sa vie naturelle pour se renouveler dans le Christ ? »

Pour ces jeunes prêtres, qui s'élevaient contre tout « chantage religieux », il s'agissait simplement « d'être catholique, de montrer à tous que l'œuvre missionnaire n'a rien à voir avec le colonialisme, ni même avec la colonisation [...]. On devine aisément la difficulté qu'éprouve un homme de chez nous à abandonner ses mythes et ses croyances lorsque la collectivité y demeure fermement attachée et le traite en étranger, sinon en traître[1] ». Ce mouvement est cependant resté minoritaire.

Les pentecôtistes ont le vent en poupe

Le rejet communautaire africain de l'Église catholique a sans aucun doute favorisé les évangéliques et les pentecôtistes, aujourd'hui en forte croissance. Ces Églises de l'« autre chrétienté » se sont africanisées à travers des rituels locaux : danses, chants, croyances... Non sans démagogie, elles offrent à des populations en souffrance des raisons d'espérer et des solutions, surtout en matière de santé et de revenus. C'est la religion du miracle ! En république démocratique du Congo, on peut s'autoproclamer pasteur pentecôtiste. « C'est au tournant du XXe siècle que le pentecôtisme a émergé comme nouvelle branche du christianisme, explique le chercheur congolais Sébastien Kalombo Kapuku. Cette religion revendique le retour aux sources de la spiritualité biblique, sur le modèle de l'Église primitive, qui était considérée comme pentecôtiste : parler en langues vernaculaires, prophéties, visions, guérisons[2]... » Selon le Conseil national des évangéliques de France, ces

1. *Des prêtres noirs s'interrogent. Cinquante ans après...*, Karthala-Présence africaine, 2006.

2. Sébastien Kalombo Kapuku, « La pentecôtisation du protestantisme à Kinshasa », *Afrique contemporaine*, hiver 2014. Sébastien Kalombo Kapuku est professeur de sciences des religions à l'Université protestante au Congo, à Kinshasa.

« Églises de réveil » rassembleraient un quart des chrétiens du monde, soit environ 500 millions de personnes, dont 140 millions en Afrique. Un chiffre largement sous-estimé : rien que dans la capitale congolaise, qui compte plus de 10 millions d'habitants, le « christianisme congolais » rallie plus de 80 % de la population.

Cet engouement populaire pour les religions des « *born again* » ne pouvait qu'attirer l'attention de la classe politique. Les présidents francophones arrivés au pouvoir à la période des Indépendances (l'Ivoirien Félix Houphouët-Boigny, le Sénégalais Léopold Sédar Senghor…) étaient quasiment tous catholiques et très liés au clergé de l'Église de France. Ce n'était plus le cas des prétendants au pouvoir de la génération suivante, qui ont trouvé dans les assemblées évangéliques de précieux relais électoraux.

Né dans une famille musulmane, le président de la république du Bénin, Thomas Boni Yayi, est aussi pasteur évangélique dans une église des Assemblées de Dieu de Cotonou, la capitale. Son prédécesseur, Mathieu Kérékou, était un autre « converti » d'exception. Surnommé « le Caméléon », celui qui avait dirigé le régime militaro-marxiste du Bénin de 1972 à 1990 est revenu en 1996 se présenter à l'élection présidentielle une bible dans une main, sa canne de chef traditionnel dans l'autre, fraîchement converti au christianisme évangélique. Adieu les slogans qui scandaient auparavant ses discours, comme : « Prêts pour la révolution, la lutte continue ! » « Mathieu » ne parlait plus que par paraboles bibliques. Même le putschiste François Bozizé, qui a pris le pouvoir en Centrafrique en 2003, a épousé la cause de l'« Église céleste ».

Le cas le plus emblématique de cette nouvelle alliance entre la religion et la politique en Afrique est celui de l'ancien président ivoirien Laurent Gbagbo. Né dans une famille catholique du grand ouest de la Côte d'Ivoire, celui qui deviendra le principal opposant au président Félix Houphouët-Boigny s'est converti au pentecôtisme en 1996, quatre ans avant son accession au pouvoir. Une conversion largement inspirée par son épouse, Simone Ehivet Gbagbo, qui organisait les prières au palais pendant le mandat de son époux (2000-2011).

« L'accession de Laurent Gbagbo au pouvoir impulsait un formidable élan au prophétisme évangélique en Côte d'Ivoire », relève l'historienne et anthropologue Marie Miran-Guyon. Elle raconte comment la célébration du cinquantenaire de l'indépendance du pays, en août 2010, « fut comparée au jubilé de l'Éternel, fête biblique commémorant la délivrance de Moïse et du peuple d'Israël du joug pharaonique de l'esclavage. Le parallèle avec le jubilé permit une relecture messianique de l'histoire coloniale et des enjeux immédiats de l'année électorale : le cinquantenaire incarnait l'étape décisive devant mener la Côte d'Ivoire à sa libération matérielle et spirituelle[1] ».

1. Marie Miran-Guyon, *Guerres mystiques en Côte d'Ivoire*, Karthala, 2015.

Laurent Gbagbo, ancien militant socialiste, leader du Front populaire ivoirien (FPI), était-il dupe de cet imaginaire politico-religieux ? Pas vraiment, selon Marie Miran-Guyon : « À l'occasion du lancement officiel de travaux sur le site de l'église baptiste du pasteur Dion à Yopougon, Laurent Gbagbo confiait aux fidèles réunis : "Je vois des jeunes pasteurs ici à Abidjan qui disent : 'Dieu a dit, je serai le premier et non le dernier. Faites la quête pour que je sois le premier et non pas le dernier.' Ils prennent l'argent des chrétiens pour se coudre ou s'acheter de beaux costumes, des vestes très longues ; des chaussures avec des bouts très pointus. Nous, nous voyons. Des fois, quand ils prêchent, ils soulèvent le pantalon pour qu'on voie bien la marque de leurs chaussures et de leurs chaussettes[1]." »

Une basilique pour faire barrage à l'islam

Si le successeur de Gbagbo, Alassane Dramane Ouattara, surnommé « ADO », est musulman, son épouse, Dominique Folloroux-Ouattara, se veut une fervente catholique. La Première Dame ne rate jamais la messe du cardinal Jean-Pierre Kutwa à la cathédrale Saint-Paul, dans le quartier d'affaires du Plateau, à Abidjan. ADO, qui a financé la réhabilitation de cette cathédrale, a qualifié le cardinal Kutwa d'« ami et [de]

1. Marie Miran-Guyon, « Apocalypse patriotique en Côte d'Ivoire. Le pentecôtisme de la démesure », *Afrique contemporaine*, n° 252, 2014, p. 73-90.

conseiller» lors d'une messe d'action de grâces, le 18 avril 2015. Mais, cinq ans auparavant, à dix jours du premier tour du scrutin présidentiel de 2010, c'est le pasteur pentecôtiste Alla Abraham Sourkou qui avait été chargé de la bénédiction suprême pour la réussite du candidat Ouattara... Plus que tout autre pays de la région, la Côte d'Ivoire est donc devenue le pays de tous les dieux!

Cependant, le Dieu que l'on entend le plus est bien celui des pentecôtistes, en particulier à Grand-Bassam, capitale de la Côte d'Ivoire jusqu'en 1900. À la mi-journée, le visiteur, avant de plonger dans les dangereux rouleaux de l'océan, est saisi par les chants qui montent des mille et un temples de la ville, baptistes, méthodistes, pentecôtistes... La puissance de l'Église catholique ne se voit plus qu'au musée. Là, dans des cadres aux couleurs passées, des Pères blancs aux longues barbes entourés de centaines d'enfants de Dieu côtoient les portraits des plus connus des «préfets apostoliques» de l'époque, dont la majorité était originaire de Lyon. Quant à la dernière photo, elle représente le monument aux missionnaires morts de la fièvre jaune...

Au centre du pays, à quelque trois cents kilomètres de Grand-Bassam, un autre fervent catholique qui n'a jamais cédé veille dans son mausolée. Félix Houphouët-Boigny, le premier président de la Côte d'Ivoire, avait fait construire dans son village natal de Yamoussoukro une basilique plus grande que celle de Rome: Notre-Dame-de-la-Paix. Le 10 septembre 1990, «le Vieux», comme le surnommaient affectueusement les Ivoiriens, avait été absous de son péché d'orgueil par le pape Jean-Paul II en personne, venu consacrer cette œuvre dantesque qu'Houphouët affirmait avoir financée sur sa seule cassette personnelle…

Félix Houphouët-Boigny avait confié à son architecte bâtisseur, Pierre Fakhoury, sous le sceau du secret : « Ma basilique, c'est pour barrer l'expansion de l'islam ! » Sur le vitrail représentant l'entrée à Jérusalem dans des couleurs éblouissantes, on voit l'ancien chef de l'État agenouillé. Si aucun commando djihadiste n'a jamais menacé Yamoussoukro, force est de constater que la page catholique et coloniale prend une couleur sépia. En juin 2015, pour la première fois, deux attaques ont eu lieu dans des localités du sud du Mali situées à moins de vingt kilomètres de la frontière ivoirienne. Elles ont été revendiquées par le groupe Ansar Dine d'Iyad Ag Ghali, qui a fait allégeance à al-Qaida au Maghreb islamique (AQMI). Combien de temps encore la basilique de Yamoussoukro va-t-elle pouvoir fêter l'enfant Jésus ?

L'histoire de France bégaie dans le Sahel

L'épopée coloniale couplée aux missions catholiques n'aura-t-elle été qu'une parenthèse dans l'islamisation de l'Afrique subsaharienne ? La relecture du bon vieux « Que sais-je ? » intitulé *Histoire des Noirs d'Afrique* et paru en 1946 ne laisse aucun doute : ce à quoi l'on assiste aujourd'hui constitue bien la reprise d'un processus social et religieux islamiste latent. Dans ce petit opuscule troublant d'actualité, on raconte l'histoire des Touaregs, qui occupent l'Aïr depuis le XIe siècle et « sont devenus les maîtres incontestés de la vallée du Niger et des provinces voisines ». On rappelle comment El Hadj Oumar Tall « proclama la guerre sainte dans la province du Khasso protégée par la France ». Auparavant, il s'était rendu « à la cour du Bornou et [à] celle de Sokoto », là même où Abubakar Shekau, le leader nigérian de Boko Haram, entend aujourd'hui recréer un califat.

Parmi les conquérants de l'époque, l'« almamy » (commandeur des croyants) Samory se heurta aux colonnes françaises dans les années 1880, mais ne fut capturé que dix-huit ans plus tard, en 1898, dans le village ivoirien de Guélémou, près de la frontière libérienne. Quant à Rabah, qui était devenu « le maître de tout le bassin du Tchad et des contrées voisines, son rêve d'un grand empire était presque réalisé » quand il fut tué, le 22 avril 1900, à Kousséri (Cameroun), au confluent du Chari et du Logone. Les partisans du royaume peul du Macina (XVIIe siècle) ne se sont pas encore tous manifestés, mais il existe déjà un Front de libération du Macina (FLM) : c'est lui qui a revendiqué l'attaque meurtrière (22 morts) de l'hôtel Radisson de Bamako, le 20 novembre 2015.

Cette idée d'une évangélisation coloniale qui n'aurait été que le sucre sur le mille-feuille de l'histoire africaine n'est pas encore « recevable » à Paris. Pourtant, même le pape François a compris que, face à un islam qui tend à s'imposer comme la religion des peuples et l'incarnation de la parole divine, l'Église catholique doit s'africaniser si elle ne veut pas disparaître. Lors d'une rencontre avec des jeunes à Kampala, en Ouganda, le 28 novembre 2015, à l'occasion de son premier voyage en Afrique, le pape a donné une harangue qui n'avait rien à envier à celles de certains prêcheurs évangéliques faiseurs de miracles : « Pensez-vous que Jésus aime chacun ? Êtes-vous prêts à lutter, à demander à Jésus de vous aider dans cette lutte ? [...] Priez-vous votre Mère, Marie[1] ? »

1. AFP, 28 novembre 2015.

Chapitre 8

Arrogant comme… nos avocats aux marches des palais

Les avocats africains sont fatigués du paternalisme de leurs confrères français et n'hésitent plus à le faire savoir. Ils connaissent désormais « leur » code napoléonien sur le bout des doigts et entendent gérer eux-mêmes leurs barreaux. Mais leurs chefs d'État, eux, continuent de rechercher les services de ténors français, de préférence les plus influents dans les cercles du pouvoir. Chaque dirigeant a ainsi son avocat « fétiche » à Paris. Les présidents de l'Afrique pétrolière dont la famille fait l'objet d'enquêtes en France – à l'instar de l'affaire dite des « biens mal acquis » (BMA) – s'offrent les prestations d'avocats réputés pour leur habileté à bloquer les procédures judiciaires. Au-delà des affaires d'État proprement dites, ces professionnels doivent gérer, plutôt dans l'ombre, les mille et un petits dossiers domestiques de leurs « mandants » africains et de leur famille élargie.

« Dans quelle galère m'avez-vous entraînée ! »

Souvent chahutée par des avocats en colère défilant sous les fenêtres de son ministère, place Vendôme, à Paris, l'ex-garde des Sceaux Christiane Taubira n'aurait jamais imaginé subir un jour une telle bronca en Afrique[1].

En juin 2015, en marge d'une visite officielle en Côte d'Ivoire, la ministre est invitée à un conseil des ministres de la Justice de l'Organisation pour l'harmonisation en Afrique du droit des affaires (OHADA). Créée au début des années 1990, cette instance regroupe les pays de l'ancien pré carré français ainsi que la Guinée équatoriale et la république démocratique du Congo. Son objectif inavoué est d'opposer une résistance à la poussée de la *common law*, le « droit commun » anglo-saxon, dont les cabinets d'avocats britanniques et américains sont les maîtres. Toutes proportions gardées, l'OHADA est une sorte de code napoléonien pour le droit des affaires.

Le conseil des ministres auquel participe Christiane Taubira doit entériner le lancement d'un barreau spécifique à l'OHADA ; jusqu'à présent, c'est le barreau africain de chaque pays qui prime. À la

1. *La Lettre du continent*, 17 juin 2015.

vue des pancartes brandies par une centaine d'avocats africains en robe noire – « Halte au colonialisme français », « Halte à l'impérialisme » –, la ministre, selon ses proches, « hallucine »... Les manifestants, au nombre desquels on trouve les bâtonniers ivoirien et béninois, dénoncent une OPA du barreau parisien sur le marché africain du droit des affaires, sans qu'ils aient été consultés, assurent-ils. Le projet consiste à créer un barreau de l'OHADA qui regrouperait l'ensemble des avocats, français comme africains, intervenant auprès de la Cour commune de justice et d'arbitrage (CCJA) de la zone OHADA.

Dans une lettre adressée à l'ensemble des avocats ivoiriens, le bâtonnier Marcel Beugré s'insurge : « Il est inadmissible qu'un tel projet, concernant des barreaux d'un espace communautaire africain, puisse être porté par le barreau de Paris. » Sur les réseaux sociaux, l'ancien bâtonnier béninois Robert Dossou livre aussi sa diatribe au vitriol à l'intention du bâtonnier français Pierre-Olivier Sur : « Je m'adresse à vous pour vous réveiller à vos devoirs de confraternité et votre obligation de vous abstenir de tout acte d'impérialisme à l'endroit de vos confrères africains. [...] Délibérément, je tais au niveau de la présente mon opposition au projet pour concentrer mon indignation sur la procédure utilisée et vous demander d'arrêter ou de faire arrêter immédiatement ce projet. » Une réaction d'autant plus politique que Robert Dossou est une personnalité connue et intouchable du village franco-africain. Diplômé de Sciences Po Bordeaux et titulaire d'un diplôme d'études supérieures en droit privé et sciences criminelles à Paris, Dossou a été ministre des Affaires étrangères et président du Conseil constitutionnel du Bénin.

Si les initiateurs du projet font profil bas, ils n'en relèvent pas moins *mezzo voce*, sinon en « off », que les avocats africains craignent surtout de voir leurs confrères français marcher sur leurs plates-bandes, en particulier leurs comptes CARPA (Caisse des règlements pécuniaires des avocats).

Un peu soufflée par la campagne de presse qui accompagne son déplacement, Christiane Taubira calme le jeu et botte en touche. Même si celle-ci agace un peu les avocats africains en justifiant le projet par « la lutte contre la corruption et le blanchiment d'argent », la garde des Sceaux française a des paroles rassurantes pour leur souveraineté : « C'est à vous de former de nouvelles générations d'avocats chez vous. Il vous appartient aussi d'établir les relations de coopération que vous souhaitez choisir. [...] C'est en amitié et en respect que le barreau de Paris vous propose de réfléchir avec vous à l'instauration d'un barreau OHADA [1]. » En aparté, toutefois, selon un autre avocat français témoin de la scène, Christiane Taubira tance Pierre-Olivier Sur : « Dans quelle galère m'avez-vous entraînée ! » Une version contestée par le bâtonnier : « Pas du tout, Christiane

1. Déclaration lors de l'ouverture des travaux de la 39e réunion du conseil des ministres de l'OHADA, Yamoussoukro, 10 juin 2015.

Taubira était tout à fait en phase avec moi [1] », affirmera-t-il quelques mois plus tard.

Touche pas à ma Constitution !

Il est vrai que les professions judiciaires et juridiques françaises ont la fâcheuse habitude de se sentir un peu chez elles en Afrique. Mais les « confrères » français se sont trompés d'époque… Avec la langue de Voltaire, la France n'a-t-elle pas exporté dans ses anciennes colonies ses codes napoléoniens (code civil, code pénal, code du commerce…) et ses Constitutions ? Au moment des Indépendances, dans les années 1960, les nouveaux États africains ont ainsi hérité de la toute fraîche Constitution de 1958, instaurant un régime présidentiel taillé à la grandeur du général de Gaulle afin d'éviter toute nouvelle tentative de putsch comme celui d'Alger.

Nos brillants constitutionnalistes ont d'emblée été sollicités par les jeunes pouvoirs africains pour broder leur Constitution sur le modèle du « grand frère » français. Au Sénégal, c'est Michel Aurillac qui a pris la plume avec le professeur de droit constitutionnel Dmitri Georges Lavroff. Aurillac était déjà dans le bain : Michel Debré lui avait confié la rédaction des passages de la Constitution de 1958 concernant les relations entre la France et l'outre-mer. Celui qui allait devenir le ministre de la Coopération de Jacques

1. Entretien avec l'auteur, 30 octobre 2015.

Chirac entre 1986 et 1988 s'est ensuite penché sur les Constitutions du Tchad, du Gabon, de la République centrafricaine, et « un peu » sur celle du Togo. Pourquoi « un peu » seulement ? Parce que à Lomé le plus célèbre constitutionnaliste français n'est pas Michel Aurillac, mais Charles Debbasch. Cet ancien doyen de la faculté de droit d'Aix-Marseille, conseil de plusieurs chefs d'État africains, en particulier ceux de Côte d'Ivoire et du Congo, a été le grand magicien juridique de la dynastie Gnassingbé. Devenu citoyen togolais, il est toujours ministre et conseiller spécial du président Faure Gnassingbé, après avoir officié pendant plus de quinze ans aux côtés du « papa », Gnassingbé Eyadema.

Aujourd'hui, cependant, les chefs d'État qui souhaitent jongler avec leur Constitution pour s'octroyer quelques mandats supplémentaires disposent d'excellents juristes africains. Ils ont bien compris qu'une Constitution, c'est comme un puzzle : il suffit de disposer les bonnes pièces et de suivre le mode d'emploi. Parmi d'autres, les présidents du Tchad, du Cameroun et du Togo ont déjà gagné leur éternité au pouvoir. Les dirigeants des deux Congos (Brazzaville et Kinshasa), Denis Sassou Nguesso et Joseph Kabila, ainsi que le président rwandais Paul Kagame, disent eux aussi avoir « entendu l'appel de leur peuple », sollicité par référendum, à leur maintien au pouvoir.

Albert Bourgi, professeur de droit à l'université de Reims, note : « Après les "conférences nationales" des années 1990, les Constitutions sont devenues l'alpha et l'oméga des revendications politiques en Afrique.

C'est fascinant de voir des jeunes brandir des pancartes avec des inscriptions telles que "Touche pas à l'article 37 de ma Constitution", comme au Burkina Faso [1]. » Au pouvoir pendant vingt-sept ans, le président burkinabé Blaise Compaoré a tenté en octobre 2014 de modifier cet article, qui limite le nombre de mandats présidentiels, afin de pouvoir se représenter en 2015. À la suite d'un soulèvement populaire, le « Beau Blaise », réputé indéboulonnable, a dû quitter précipitamment le pouvoir pour se réfugier en Côte d'Ivoire.

Deux ans auparavant, au Sénégal, le président Abdoulaye Wade, au pouvoir depuis 2000, voulait lui aussi s'offrir un troisième mandat. Sa candidature avait même été validée par la Cour constitutionnelle. Mais « le Gorgui » (« le Vieux » en wolof), comme on le surnomme, a dû affronter une mobilisation inédite de la société civile, avec des mouvements comme Y'en a marre, manifestant pour le départ de Wade au nom de la « citoyenneté ». Comptant sur l'inertie du monde rural, le président sortant pensait l'emporter au premier tour, mais n'a obtenu que 34,81 % des voix et a été largement battu au second par Macky Sall, son ancien dauphin, passé dans l'opposition. Sall a atteint un score de 65,80 % grâce à l'électorat jeune, qui, pour une fois, s'est rendu massivement aux urnes.

Les dirigeants africains découvrent la réalité de ces nouveaux contre-pouvoirs. Jusqu'à présent, ils réussissaient à jouer des rivalités entre des opposants

1. Entretien avec l'auteur, 28 octobre 2015.

sans moyens et facilement récupérables dans de pseudo-gouvernements de coalition. Aujourd'hui, la société civile, dont les membres les plus actifs sont en exil, mène aussi de nouveaux combats judiciaires, cette fois-ci en France, avec le soutien d'associations qui ambitionnent d'« accompagner les populations victimes de crimes économiques dans leur quête de justice ».

Le premier de ces combats a été l'affaire dite des « biens mal acquis » (BMA). En mars 2007, deux associations – Survie et Sherpa, présidée par William Bourdon –, rejointes ensuite par Transparency International, déposent auprès du tribunal de grande instance de Paris une plainte pour « recel de détournement de biens publics et complicité » contre les chefs d'État de l'Afrique pétrolière et leurs familles : Omar Bongo Ondimba (Gabon), Denis Sassou Nguesso (Congo-Brazzaville), Eduardo Dos Santos (Angola) et Teodoro Obiang (Guinée équatoriale). Au terme de près de cinq années de procédures et de blocages par le parquet, la Cour de cassation déclare la plainte de Transparency International recevable le 9 novembre 2010.

Panique dans les palais africains. Jusqu'alors, les présidents concernés croyaient pouvoir compter sur leurs amis politiques à Paris pour passer l'éponge magique au niveau du parquet. Ce qui les gêne, en revanche, est le traitement médiatique de l'affaire. Quand le président Omar Bongo voit défiler, dans les journaux télévisés français, les images de ses hôtels particuliers parisiens, il est très agacé et le fait savoir vertement à l'Élysée. Début 2008, Bongo père obtient ainsi la tête du secrétaire d'État à la Coopération, Jean-Marie Bockel : le doyen de la « Françafrique » est persuadé que la fuite sur le dossier judiciaire vient de son cabinet. *Exit* Bockel. Mais ce scalp ne servira pas à grand-chose. Les juges d'instruction continuent d'instruire. « On » conseille alors aux présidents africains mis en cause de prendre des « pointures » du barreau parisien pour bloquer les procédures engagées, ces mêmes pointures qui vont alors défiler au Palais du bord de mer à Libreville…

« Cherche bâtonnier bien branché sur l'Élysée »

L'avocat Jean-Paul Benoit [1], praticien des palais africains depuis des décennies, explique, pédagogue : « Les Africains ont beaucoup de mal à comprendre que la justice puisse être indépendante. Dans leur mentalité, "la justice n'est pas un pouvoir", comme disait de Gaulle. Ils considèrent qu'on ne peut pas les traiter comme des justiciables comme les autres, qu'ils soient président, Premier ministre ou président de l'Assemblée nationale. » Avec ses dents du bonheur et son léger zozotement qui le rendent d'emblée sympathique, Jean-Paul Benoit raconte qu'il s'est essayé dans l'affaire des BMA et a réglé une partie du dossier de Teodoro Nguema Obiang Mangue, dit « Teodorin », dauphin déclaré de Teodoro Nguema

1. Entretien avec l'auteur, 30 octobre 2015.

Obiang Mbasogo, président de l'« éponge » pétrolière de Guinée équatoriale. Teodorin est sur la dernière marche avant le pouvoir en tant que deuxième vice-président de la république de Guinée équatoriale chargé de la défense et de la sécurité de l'État. Il est aussi vice-président du parti présidentiel, le PDGE (Partido Democrático de Guinea Ecuatorial).

En septembre 2011, les Français ont pu découvrir dans des reportages télévisés l'impressionnante collection de voitures de sport du « fiston » Obiang (Ferrari, Maserati, Aston Martin, Rolls-Royce Phantom, Porsche, Bentley, Bugatti Veyron uniques...), et ces images spectaculaires d'immenses camions sur l'avenue Foch embarquant ces bijoux colorés sur quatre roues à la demande des juges Roger Le Loire et René Grouman. La plainte initiale avait été déposée en France par Transparency International. En 2012, c'est l'hôtel particulier de l'avenue Foch et son fantastique mobilier qui ont été saisis par la justice française. À la suite de plusieurs de ses confrères, tels Emmanuel Marsigny ou Olivier Pardo, Jean-Paul Benoit s'est employé à plaider l'immunité diplomatique dans cette affaire. « En général, explique-t-il, les présidents ont tendance à choisir des avocats qu'ils supposent proches du pouvoir en place pour traiter les affaires d'une manière plus efficace, politiquement. Mais c'est un leurre. Personne n'a d'influence sur François Hollande. Non seulement le pouvoir actuel ne freine pas les dossiers, mais il n'y a plus d'instructions aux magistrats. Je conseille aux chefs d'État d'utiliser la procédure "composition pénale", à l'américaine, qui permet de négocier avec le parquet en plaidant coupable. » Malin. Cela ouvre la possibilité d'une négociation indirecte avec le pouvoir exécutif via le procureur et le parquet. Libre ensuite au juge chargé du dossier d'accepter ou non d'entrer en discussion…

La procédure « miracle » de la « composition pénale », qui épargne au prévenu le procès pénal, n'a toutefois pas rencontré l'assentiment des autorités de Guinée équatoriale. « Dès que j'ai prononcé le mot "coupable" devant le ministre équato-guinéen de la Justice et l'ambassadeur de ce pays à Paris, tous deux se sont offusqués : "Mais Teodorin n'est pas coupable !" » mime Jean-Paul Benoit moulinant des bras. Il développe : « J'ai beau leur expliquer que c'est le nom de la procédure, rien à faire… Je leur ai donc proposé de dire que Teodorin avait été "distrait" ou avait commis une "erreur", mais, en tout cas, qu'il reconnaissait une partie de l'infraction. On n'a pas abouti à cette procédure. Maintenant, ils sont condamnés partout… »

L'une des raisons pour lesquelles les chefs d'État s'adressent à Jean-Paul Benoit est que – habileté suprême – cet ancien député européen radical, homme de réseaux et franc-maçon affiché, s'est associé avec son confrère Jean-Pierre Mignard, dont la proximité avec François Hollande est connue, puisqu'il est le parrain de deux de ses enfants. En pleine crise ivoirienne, en décembre 2010, Benoit recommande à son ami et principal client en Afrique, Alassane Ouattara, de recruter Jean-Pierre Mignard.

Ouattara est alors reconnu comme le nouveau président de la Côte d'Ivoire par la communauté internationale, mais Laurent Gbagbo, considérant qu'il y a eu fraude, fait de la résistance : il s'enferme dans le palais présidentiel et ses partisans encerclent l'hôtel du Golfe, où est réfugié Alassane Ouattara.

Benoit se souvient : « Du côté de Nicolas Sarkozy, on tente de persuader ADO de me laisser tomber. Ils lui disent : c'est un socialiste qui va jouer double jeu avec Gbagbo ! » Ouattara tient bon, confiant dans son ami de vingt-cinq ans. Il estime cependant qu'une association avec un avocat sarkozyste serait une bonne idée. Jean-Paul Benoit rapporte sa conversation avec le futur président ivoirien à l'hôtel du Golfe : « Je lui dis : "Alassane, tu as des contacts directs avec Sarko. Il est chef de l'État, tu vas l'être. Je ne veux pas d'un avocat sarkozyste. Quand la force Licorne va intervenir contre Gbagbo, c'est important que le groupe socialiste soutienne l'intervention française. Je te propose Jean-Pierre Mignard parce que c'est l'avocat personnel de Hollande. Il est compétent, il est intelligent, et cela va emmerder Gbagbo de savoir que l'avocat de Hollande est avec toi." »

Pour convaincre Ouattara, Benoit le persuade que Nicolas Sarkozy a peu de chances d'être réélu et qu'un candidat socialiste va remporter la présidentielle – on est à quelques mois de la primaire socialiste d'octobre 2011. Bon pronostic ! François Hollande est élu et s'installe à l'Élysée en mai 2012. Le tandem Benoit-Mignard gère déjà toute la procédure pour envoyer Laurent Gbagbo, encore très populaire en Côte d'Ivoire, devant la Cour pénale internationale. Ce dernier est défendu par Emmanuel Altit. Quand il était au pouvoir, son avocat à Paris était Pierre Haïk, ami et défenseur de longue date de l'ancien ministre de la Coopération Michel Roussin, conseiller pour l'Afrique de Bolloré. Que des initiés du village…

Même s'ils gèrent plusieurs dossiers africains, les ténors du barreau parisien ont presque tous un président fétiche. Jean-Paul Benoit a pour principal client Alassane Ouattara, mais cela ne l'empêche pas de défendre, au Cameroun, l'ancien Premier ministre Marafa Hamidou Yaya, toujours en prison. Au Gabon, Ali Bongo a « remercié » tous les avocats français de son père, à l'exception de Patrick Maisonneuve, qui défend depuis longtemps la famille Bongo dans l'affaire des biens mal acquis. Maisonneuve est également au front dans les prétoires contre les journalistes de la presse française qui attenteraient à l'honneur d'Ali Bongo. Classé en 2014 dans le « top 10 » des avocats les plus puissants de France par le magazine *GQ*, il s'est en outre aventuré à Libreville sur des dossiers sensibles comme le projet de reprise du groupe Eramet (manganèse) par le président du groupe Carlo Tassara, l'homme d'affaires Romain Zaleski.

Au Congo-Brazzaville, le défenseur officiel du palais est Jean-Pierre Versini-Campinchi. Cet avocat, dont le grand-père a été le premier Antillais noir nommé à la Cour de cassation par le général de Gaulle, est « entré » dans les affaires congolaises en 1997 au moment de la résiliation d'un contrat pétrolier avec la compagnie américaine Oxy. Dans ce pays, les dossiers judiciaires s'empilent : « disparition » de 353 opposants au Beach de Brazzaville en 1999 ; « biens mal acquis » en France ; procès des descendants mécontents de l'explorateur Savorgnan de Brazza, dont les cendres ont été transférées d'Alger à Brazzaville dans un mausolée flambant neuf… D'autres avocats, tels Francis Teitgen et Simone Bernard-Dupré, travaillent également sur des dossiers congolais, mais Versini-Campinchi est sans conteste le « référent » de Denis Sassou Nguesso au palais de justice de Paris. Dans le village franco-africain, il s'est également fait connaître comme un défenseur acharné de Jean-Christophe Mitterrand dans l'affaire de l'Angolagate (ventes d'armes à l'Angola).

À l'exception notable de la famille Obiang en Guinée équatoriale, les autres dirigeants africains sont fidèles à leurs avocats français. Sans doute parce que, outre les affaires d'État, ils peuvent aussi leur confier les petits soucis de leur famille élargie. Tous ces secrets créent des liens indéfectibles. Présidents et opposants ont au moins un point commun : ils veillent à se choisir des bâtonniers ou d'anciens bâtonniers de l'Ordre des avocats à Paris, préjugeant de leur influence déterminante au niveau du parquet et des milieux politiques. C'est ainsi que l'ancien bâtonnier Christian Charrière-Bournazel défend le président du Bénin, Thomas Boni Yayi, mais aussi le principal opposant au Togo, Kpatcha Gnassingbé, demi-frère du président, poursuivi depuis 2009 pour atteinte à la sûreté de l'État. Il se bat également au Cameroun pour faire libérer l'avocate franco-camerounaise Lydienne Yen-Eyoum, accusée de détournements de fonds. L'avocate bordelaise Danyèle Palazo Gauthier est restée fidèle à Pascaline Bongo, toute-puissante directrice du cabinet du temps d'Omar Bongo, mais écartée du palais par son frère et successeur, Ali Bongo.

Les avocats ne sont pas toujours récompensés de leur soutien à des opposants. Le bâtonnier Pierre-Olivier Sur a ainsi défendu le militant socialiste Alpha Condé durant sa longue traversée du désert en France, puis son emprisonnement en Guinée-Conakry. Pourtant, une fois au pouvoir, Alpha Condé a hiérarchisé ses renvois d'ascenseur à ses amis français et, entre Vincent Bolloré et Pierre-Olivier Sur, a choisi le premier. « Alpha Condé m'a même invité à son intronisation, se rappelle l'ex-bâtonnier. Autour de la table d'un dîner pour ses amis français, il y avait notamment Bernard Kouchner et Pierre-André Wiltzer, le conseiller du groupe Necotrans [transport et manutention], dont je suis l'avocat. » Dès le lendemain de son accession au pouvoir, Alpha Condé laisse le groupe Bolloré s'installer dans la manutention sur le port de Conakry, au détriment de Necotrans. Après tout, la société de communication Euro RSCG, filiale du même groupe Bolloré, a conduit sa campagne présidentielle, et « Vincent » n'est-il pas lui aussi un ami de longue date ? « Quand je le retrouve le lendemain pour parler du dossier Necotrans, Alpha me fait littéralement un bras d'honneur en me disant : "*Guinée is back*"[1]... »

Pierre-Olivier Sur reste visiblement très vexé cinq ans plus tard. Pourtant, il ne manque pas de clients africains. Il défend ainsi, au Sénégal, Karim Wade, toujours emprisonné, et, au Burkina Faso, François Compaoré, le frère de Blaise, chassé du pouvoir en octobre 2014.

Alors, les palais africains sont-ils vraiment le jackpot secret pour le « top 10 » du barreau français ? Les témoignages sont rares. C'est encore le plus capé des avocats de présidence, Jean-Paul Benoit, qui accepte de livrer son analyse : « Contrairement aux habitudes passées, les jeunes chefs d'État africains ne pratiquent pas, comme leurs pères, la politique de la valise. Même si ce n'est pas complètement fini, ils font des factures pour les honoraires. Les cabinets d'avocats ont besoin d'être payés officiellement. Je ne vois pas comment ils pourraient toucher des valises. » L'enquête se poursuit...

1. Entretien avec l'auteur, 30 octobre 2015.

Épilogue

Les occasions perdues

La dernière salle que l'on visite dans le musée de la Françafrique, c'est celle des « occasions perdues ». On y trouve une boule à facettes gigantesque qui tourne et projette sur des écrans toutes les images des opportunités sociales, politiques, diplomatiques, économiques du continent. Et la France en a perdu ou laissé passer une très grosse partie.

Qu'est-ce que la France et les Français ont appris et compris de l'Afrique et des Africains ? Tristement, pas grand-chose. En tant qu'anciens colonisateurs, les « Gaulois » sont persuadés d'avoir « civilisé » les sauvages de l'*Africa Incognita*. En tant qu'anciens décolonisateurs, ils croient encore que leur « science africaine » est infaillible. Sûrs de leur influence, ils prétendent toujours tirer les ficelles des pouvoirs africains. Tout cela n'est qu'illusions.

Les Français ont toujours nié l'histoire de l'Afrique antérieure à leur implantation sur le continent, d'où leur incompréhension face à la résurgence actuelle des califats dans le Sahel et dans le bassin du lac Tchad. Ils n'ont ensuite favorisé que les Africains formés avec leurs livres dans les écoles gérées par des missionnaires : dès lors qu'ils étaient diplômés « en bon français », ils avaient droit à la belle épithète d'« évolués ». Pourtant, quelques commandants de cercle éclairés s'évertuaient à expliquer que les langues des Africains n'étaient pas du « petit-nègre », qu'elles avaient des noms – « le tamasheq des caravaniers touaregs de l'Aïr, le peul des bouviers et des seigneurs, l'arabe des croyants en besogne publique de prière, et des lettrés en besogne publique d'écritures, le djerma des tirailleurs originaires de Dosso, le haoussa des paysans et des colporteurs[1] ».

Ce fut la première occasion perdue. Quelle richesse aurait acquise l'ancienne métropole si les principales langues africaines avaient été enseignées dans ses universités ! Cette connaissance lui aurait permis d'accéder à des cultures complexes, souvent ignorées. Toutes les langues vernaculaires des anciennes colonies – à l'exception notable du swahili, en vogue chez les diplomates – ont été sacrifiées sur l'autel de la francophonie[2]. Or l'Organisation

1. Robert Delavignette, *Service africain*, Gallimard, 1946, p. 81.

2. Au sein de l'INALCO (Institut national des langues et civilisations orientales), créé en 1795, le département des langues africaines (une dizaine d'entre elles y sont enseignées) compte moins de 250 étudiants contre 950 dans le département dédié à l'arabe.

internationale de la francophonie a jusqu'à présent plus servi à l'accroissement de l'influence géostratégique de la France qu'au développement des Africains ayant la langue de Voltaire en partage.

Le deuxième très mauvais choix stratégique de la France fut le découpage des deux grandes zones coloniales – l'Afrique-Occidentale française (A-OF) et l'Afrique-Équatoriale française (A-EF) – en une myriade d'États qui ne cessent aujourd'hui de tenter de se recomposer. La pénétration coloniale a fait imploser les communautés ethniques d'Afrique de l'Ouest qui vivaient le long des côtes et les a découpées en tranches napolitaines. Comment prétendre faire respecter des États et des frontières qui écartèlent les habitants entre des nationalités différentes ? Un fédéralisme sur le modèle du Nigeria, la grande puissance d'Afrique de l'Ouest avec ses 180 millions d'habitants, aurait magnifié les relations franco-africaines. Mais l'ancienne métropole a préféré gérer à la petite semaine les dirigeants qu'elle avait cooptés au pouvoir et, pour la plupart d'entre eux, « formatés » dans son armée et ses universités.

C'était oublier un peu vite que l'Afrique avait connu de grands royaumes et empires, comme ceux du Ghana et du Mali. En d'autres termes, des Africains se sont montrés parfaitement capables de créer et organiser des entités politiques et économiques dans des régions plus vastes que l'Europe. L'empire du Mali contrôlait ainsi toutes les routes commerciales reliant les territoires sahéliens à l'Afrique du Nord et aux rivages méditerranéens, jusqu'à la vallée du Nil. Ces routes sont d'ailleurs empruntées aujourd'hui par un mélange de réseaux djihadistes et de contrebandiers.

La troisième occasion perdue est le manque profond d'intérêt et d'empathie – au lieu du paternalisme actuel – qui a toujours marqué et continue de marquer nos relations avec les Africains, en particulier ceux qui sont français. Après avoir passé un demi-siècle à tenter de maintenir coûte que coûte ses positions dans ses anciennes colonies, la France prétend aujourd'hui ignorer ses anciens « sujets » ! C'est le constat d'un historien que l'on ne peut soupçonner d'être ni un thuriféraire ni un contempteur de la France en Afrique, l'Américain Frederick Cooper, professeur d'histoire à l'université de New York. Il observe : « Depuis le milieu des années 1970, la France tente d'exclure en tant qu'immigrants indépendants les fils et filles de ceux que, dans les années 1950, elle tentait de conserver en tant que citoyens au sein de l'Empire. La définition de la francité mise en jeu dans le débat actuel ne remonte pas à 1789, mais aux années 1960, lorsque la France renonça à maintenir françaises l'Afrique et l'Algérie. Le fait qu'entre 1946 et 1960 les habitants de l'Afrique française aient joui des droits des citoyens sans être pour autant supposés culturellement identiques aux Français de l'Europe se trouve aujourd'hui opportunément oublié lors des discussions sur la citoyenneté et l'identité nationale[1]. »

1. Frederick Cooper, *L'Afrique dans le monde. Capitalisme, empire, État-nation*, Payot, 2015, p. 143.

La France s'est ainsi bunkérisée, pas seulement face à l'immigration économique et clandestine, mais aussi face aux jeunes diplômés, aux artistes, aux hommes d'affaires – face à tous ces Africains francophones qui, lassés d'essayer d'obtenir un visa, finissent, « dégoûtés », par se détourner d'elle. Les histoires de telles occasions ratées ne manquent pas : futurs cadres africains qui poursuivent leurs études ailleurs (au Québec, à San Francisco, à Londres, à Berlin...), colloques franco-africains qui ne peuvent se monter, collaborateurs d'entreprises françaises empêchés de venir honorer leurs rendez-vous, artistes qui annulent leurs représentations... Si la France reste le premier pays d'accueil des étudiants africains en mobilité, la tendance est au repli. La proportion des étudiants africains qui font leurs études en France a chuté de 7 % en l'espace de quatre ans, passant de 36 à 29 % de l'ensemble des étudiants africains qui résident à l'étranger. Le groupe de travail constitué par l'ancien ministre des Affaires étrangères Hubert Védrine constate ainsi : « La possibilité pour les élites africaines de venir en France pour étudier ou faire des affaires s'est réduite drastiquement avec la politique de restriction migratoire, la réduction des visas de moyen séjour et la chute des bourses universitaires[1]. »

1. *Un partenariat pour l'avenir*, rapport rédigé par Hubert Védrine, Lionel Zinsou, Tidjane Thiam, Jean-Michel Severino et Hakim El Karoui, à la demande de Pierre Moscovici, alors ministre de l'Économie et des Finances, mars 2014. Ce rapport invite la France à « prendre la mesure de l'émergence économique et sociale de l'Afrique, qui en fera l'un des pôles majeurs de la mondialisation du XXIe siècle ».

De plus, pour ceux qui réussissent à entrer en France après être passés sous les fourches caudines des consulats, l'arrivée en « terre de culture » n'est pas une garantie d'épanouissement personnel. De nombreux étudiants africains se plaignent d'être traités comme des migrants usurpateurs plutôt que comme de possibles futurs dirigeants d'entreprises. Ils déplorent de ne pas pouvoir accompagner le développement des entreprises françaises dans leur pays d'origine alors qu'ils ont, parfois, été formés en leur sein. Il faut reconnaître que, à l'exception de quelques grands groupes, l'africanisation du personnel des entreprises françaises a été tardive.

Et c'est là la quatrième – et la plus grave – erreur historique de la France : la phobie du migrant a totalement éclipsé le formidable potentiel que représente la diaspora africaine. Si l'on compte moins de cent vingt mille Français en Afrique subsaharienne, on trouve en revanche plus de un million d'Africains en France, dont une grande majorité de binationaux. Une attitude de défiance vis-à-vis de cette communauté est suicidaire. Non seulement parce qu'elle constitue une valeur ajoutée évidente pour ceux qui croient et professent que « l'Afrique est l'avenir de la France », mais aussi parce que, dans la mesure où elle dispose de puissants réseaux claniques et familiaux dans les pays d'origine, cette diaspora pourrait développer une capacité de nuisance insoupçonnée.

Une grande partie de l'élite africaine des Indépendances est passée par la France. Les leaders des mouvements politiques culturels et indépendantistes ou assimilationnistes se sont structurés dans les universités françaises. Relais d'opinion, les intellectuels de la nouvelle diaspora africaine sont souvent des opposants politiques exilés en France. Ils accusent les dirigeants français de soutenir leurs autocrates, voire d'avoir participé à leur accession au pouvoir dans des pays comme le Congo-Brazzaville ou la Côte d'Ivoire. Via les réseaux sociaux, ils se font les vecteurs des sentiments antifrançais qui s'expriment dans certaines capitales africaines. C'est l'écho des savanes inversé. L'écoute des sociétés civiles africaines doit donc commencer à Paris. Car l'Afrique de France est regardée et observée par le continent noir.

Raison de plus pour valoriser les réalités spirituelles, sociales, environnementales et économiques des cinquante-quatre pays – et pas seulement les quatorze anciennes colonies françaises – qui composent ce fantastique continent aux richesses gigantesques, largement inexplorées, et aux populations d'une diversité insoupçonnée. En France, on n'en connaît souvent que les footballeurs, les chanteurs et les danseurs. Obsédée par sa propre culture, la France officielle a jusqu'ici été incapable de promouvoir l'Afrique dans un imaginaire commun pour le XXIe siècle.

Malgré les efforts de son président, l'historien Benjamin Stora, le triste musée national de l'Histoire de l'immigration, à la porte Dorée, à Paris, exhale encore trop les relents de l'ancien musée des Colonies, qui a fait suite à l'Exposition coloniale de 1931 avant d'être rebaptisé musée des Arts d'Afrique et de l'océan

Indien. Laissons également de côté le musée du quai Branly et ses superbes expositions d'art premier ou sur *Les Maîtres de la sculpture de Côte d'Ivoire*. Dans le privé, quelques passionnés parviennent à monter des expositions temporaires, telle la surprenante de modernité *Beauté Congo (1926-2015)* à la Fondation Cartier pour l'art contemporain. Cependant, rien de tout cela n'est à la hauteur de ce continent dans une capitale qui se prétend « africaine », alors qu'on y trouve un Institut du monde arabe, mais pas trace d'un Institut africain...

Pour prendre toute la mesure de ce raté, voire de ce gâchis, de la France en Afrique, écoutons l'historien africain Joseph Ki-Zerbo, mort en 2006 : « Il faut que le Nord ait suffisamment de bon sens et de modestie pour comprendre qu'il peut apprendre quelque chose des pays du Sud. [...] Mais la confrontation des cultures entre le Nord et le Sud est telle que les tenants de la culture occidentale ne conçoivent pas qu'ils puissent apprendre quelque chose d'essentiel des pays pauvres : tout au plus, non pas un supplément d'âme, mais de folklore, de bonne conscience aussi. [...] L'Afrique a apporté, depuis des siècles, beaucoup d'éléments que la civilisation occidentale a captés et intégrés. On les connaît peu, on les méconnaît, et on déduit qu'ils n'existent pas. La musique, la danse et les arts africains ont été reconnus dignes d'être une source d'inspiration. L'art occidental en a été profondément influencé. Il y a un art de vivre africain, un art de solidarité, un art de l'altérité, de l'ouverture aux autres, que les Européens ne retrouvent plus chez eux. » Et de rappeler que, « là où il y a des humains, il y a histoire, avec ou sans écriture[1] ! ».

1. Joseph Ki-Zerbo, *À quand l'Afrique ? Entretien avec René Holenstein*, Éditions de l'Atelier, 2003.

Remerciements

Plus que de simples remerciements, c'est une profonde gratitude et amitié que j'aimerais témoigner à tous ceux qui, dans des conversations souvent personnelles, m'ont permis de comprendre l'Afrique des Africains. Des rencontres et des confidences qui m'ont donné l'idée de ce livre.

Ma reconnaissance fidèle va également à mes amis et confrères de la société Indigo Publications, dirigée par Maurice Botbol. Leurs enquêtes sur les cercles du pouvoir en Afrique et les réseaux d'influence en France ont toujours servi de référence à mes ouvrages.

Enfin, ce livre doit beaucoup à l'intelligence éditoriale et à la qualité de relecture d'Élise Roy.

Table des matières

Fayard s'engage pour l'environnement en réduisant l'empreinte carbone de ses livres. Celle de cet exemplaire est de :
0,600 kg éq. CO_2
Rendez-vous sur
www.fayard-durable.fr

Dépôt légal : mars 2016
Imprimé en Espagne par Industria Gráfica Cayfosa